As Cinco Linguagens do Amor para Solteiros

GARY CHAPMAN

As Cinco Linguagens do Amor para SOLTEIROS

TRADUZIDO POR
NEYD SIQUEIRA

Editora Mundo Cristão
São Paulo

AS CINCO LINGUAGENS DO AMOR PARA SOLTEIROS
CATEGORIA: COMPORTAMENTO / RELACIONAMENTOS

Publicado originalmente por Northfield Publishing, EUA

Título original: The five love languages for singles
Coordenação editorial: Silvia Justino
Revisão: Geuid Jardim
Capa: Douglas Lucas

Os textos das referências bíblicas foram extraídos da versão Almeida Revista e Atualizada, 2ª ed. (Sociedade Bíblica do Brasil), salvo indicação específica.

Dados Internacionais de Catalogação na Publicação (CIP)
(Câmara Brasileira do Livro, SP, Brasil)

Chapman, Gary

As cinco linguagens do amor para solteiros / Gary Chapman; traduzido por Neyd Siqueira. — São Paulo: Mundo Cristão, 2005.

Título original: The five love languages for singles.
Bibliografia.
ISBN 85-7325-424-6

1. Amor — Aspectos religiosos — Cristianismo 2. Psicologia religiosa 3. Relações interpessoais 4. Solteiros — Conduta de vida 5. Vida cristã I. Título.

05-1878 CDD–248.8422

Índice para catálogo sistemático:
1. Solteiros: Conduta de vida: Guias de vida cristã 248.8422

Associação Religiosa Editora Mundo Cristão
Rua Antônio Carlos Tacconi, 79 — CEP 04810-020 — São Paulo — SP — Brasil
Telefone: (11) 5668-1700 — Home page: www.mundocristao.com.br

Editora associada a:

- Associação Brasileira de Editores Cristãos
- Câmara Brasileira do Livro
- Evangelical Christian Publishers Association

A 1ª edição foi publicada em abril de 2005, com uma tiragem de 5.000 exemplares.

Impresso no Brasil

10 9 8 7 6 5 4 3 2 1 05 06 07 08 09 10 11 12

Aos muitos solteiros que durante os últimos trinta anos compartilharam comigo os conflitos e as alegrias em seus relacionamentos.
Espero que este livro possa dar a eles mais alegrias e menos conflitos.

• Sumário

• Agradecimentos

Muitos cordões de influência foram entrelaçados na produção deste livro. Primeiro, fui grandemente influenciado pelos solteiros que leram meu livro para casais sobre as cinco linguagens do amor e me animaram a escrever uma seqüência para os solteiros. Sem isso, eu nunca teria iniciado esta jornada.

O segundo cordão de influência foi o grande número de solteiros que compartilharam comigo seus encontros com o amor, ou a falta dele, os quais moldaram suas vidas. Essas histórias impediram que este livro fosse um tratado acadêmico. Chorei e dancei com eles, e espero que o leitor experimente tanto o sofrimento quanto o entusiasmo do amor. Todos os nomes foram mudados a fim de proteger a privacidade dos indivíduos, mas as histórias são verdadeiras.

As palavras e parágrafos foram digitados por Tricia Kube e Martha Jones. Tricia tem sido minha assistente administrativa há vinte anos, e Martha, minha valiosa assistente de meio período. Kay Tatum foi a guru do computador que reuniu todos os fios técnicos e teceu os capítulos individuais num manuscrito.

Sem o auxílio dessas três senhoras dedicadas, as palavras deste livro estariam ainda dando voltas em minha cabeça.

Shannon Warden atuou como assistente de pesquisa. Ela passou horas entrevistando solteiros e me ajudando a entretecer suas histórias no mosaico das cinco linguagens do amor. Ela produziu também o "perfil da linguagem do amor", encontrado na conclusão do livro. Aprecio profundamente sua contribuição.

A equipe da editora Moody contribuiu com seu trabalho costumeiro de encorajamento ao projeto. Jim Vincent ajudou-me novamente com suas sugestões editoriais. Greg Thornton e Bill Thrasher acreditaram desde o início no projeto e me encorajaram a levar aos solteiros a mensagem das cinco linguagens do amor. Toda a equipe editorial está empenhada em ajudar os solteiros a terem relacionamentos de amor. Seu interesse pessoal no livro motivou-me a continuar "tecendo" os cordões.

Como sempre acontece, minha esposa Karolyn apoiou este projeto. Ela trabalhou comigo no correr dos anos, enquanto procurávamos fazer amizade com os solteiros. Nossa esperança é que este livro os anime a procurarem o "amor" acima de tudo, sabendo que buscar o amor é buscar a Deus.

Introdução

Há mais de uma década escrevi *As cinco linguagens do amor: Como expressar compromisso de amor a seu cônjuge.* A reação foi bem além das minhas expectativas. O livro vendeu mais cópias a cada ano que no anterior. *As cinco linguagens do amor* foi traduzido em 32 idiomas ao redor do mundo.

As pessoas me pedem que explique este sucesso sem precedentes. A única resposta que tenho é que sua mensagem enfoca nossa maior necessidade emocional: a necessidade de ser amado. Ela oferece aos casais o discernimento e as ferramentas práticas para manter o amor emocional vivo no casamento. Milhares de casais indicaram que as cinco linguagens do amor introduziram "vida nova" em sua união.

Em vista de o livro ter sido escrito especificamente para os casais, não tive idéia de que muitos adultos solteiros iriam lê-lo. Encontro com freqüência adultos solteiros como Jill, que disse: "Sei que você escreveu *As cinco linguagens do amor* para casais, mas quero que saiba que o livro me ajudou muito em todos os meus relacionamentos". Encontro solteiros como Robert, um estudante do quarto ano da faculdade, que me contou: "Nunca compreendi meu colega de quarto até que li seu livro. Você deve escrever uma versão do livro *As cinco linguagens do amor* para os adultos solteiros". A minha motivação para escrever este livro tem, portanto, origem em uma porção de adultos solteiros que expressaram sentimentos similares.

Embora meus escritos e aconselhamentos tenham se concentrado no casamento e na família, tenho igualmente conhecimento da cultura dos adultos solteiros. Há alguns anos, dei início a um ministério para o adulto solteiro na igreja que freqüento e onde servi como conselheiro durante trinta anos. Num período de nove anos participei de suas alegrias e de seus conflitos. Oferecíamos um programa social ativo, juntamente com "grupos de crescimento" para os que estavam bem e "grupos de apoio" para os que enfrentavam conflitos. Investi centenas de horas no aconselhamento individual de adultos solteiros que passavam por vários problemas emocionais e relacionais.

Casado ou solteiro, jovem ou velho, todo ser humano tem a necessidade emocional de sentir-se amado. Quando esta necessidade é satisfeita, nos estendemos para alcançar nosso potencial para Deus e para o bem neste mundo. Todavia, quando nos falta o amor, nos esforçamos apenas para sobreviver. Tenho a profunda convicção de que as verdades neste livro irão capacitar os adultos a aprenderem as habilidades que levam a amar e a ser amado.

Este volume não é reformulação do livro original. As cinco linguagens do amor não mudaram, é claro, mas nas páginas que se seguem vamos nos concentrar na sua aplicação aos adultos solteiros. Estou em dívida com as centenas de jovens adultos que dividiram comigo suas histórias de como as cinco linguagens aprimoraram seus relacionamentos.

Nada tem mais potencial para melhorar nossa sensação de bem-estar que efetivamente amar e ser amado. Quer divorciado, viúvo ou solteiro, sua maior necessidade emocional é sentir-se amado, e seus maiores sucessos serão obtidos ao amar outros. Este livro pretende ajudá-lo a fazer ambas as coisas eficazmente.

Nos dois primeiros capítulos vamos examinar quem são os adultos solteiros e por que o amor é o segredo ou a chave dos relacionamentos. No capítulo 8, você vai descobrir sua própria linguagem de amor e como conhecer as linguagens de amor de outros.

Os capítulos restantes ajudarão você a aprender como amar e ser amado, falando essas linguagens de amor. Nos capítulos 9 e 10, vai descobrir como aplicar os princípios das cinco linguagens do amor para compreender seus pais, seus irmãos e seus relacionamentos amorosos. O capítulo 11 vai examinar a possibilidade do casamento e a importância da linguagem de amor na construção de um casamento bem-sucedido. O capítulo 12 enfocará a comunicação do amor a companheiros de quarto, colegas de classe e colaboradores, enquanto o capítulo 13 contém diretrizes para os pais solteiros comunicarem amor a seus filhos. Por último, vamos enfocar a idéia de encaminhar-se para o sucesso com amor (capítulo 14).

Convido você a juntar-se a mim numa viagem que o introduzirá na vida pessoal de muitos adultos solteiros que descobriram que a maior descoberta da vida é aprender como dar e receber amor.

Se estiver lendo este livro, as chances são de que seja solteiro ou conheça alguém que é. Mais de quatro em cada dez americanos adultos são solteiros — 88,5 milhões de americanos.[1] De fato, há mais adultos solteiros nos Estados Unidos que em qualquer outro país do mundo, exceto a China e a Índia.[2]

Os adultos não formam, naturalmente, um grupo homogêneo. Existem pelo menos cinco categorias de adultos solteiros, cada uma muito diferente das outras. A maior categoria de solteiros é formada por aqueles que nunca caminharam pela nave da igreja, mas as outras quatro também exigem nossa atenção. Estes são os cinco grupos:

1. Nunca se casaram. Dezoito anos ou mais, este grupo totaliza 49 milhões. A idade mediana de um primeiro casamento subiu para 25 entre as mulheres e 27 entre os homens. Isto significa que, na população geral entre pessoas de 18 a 24 anos, quase nove em cada dez (87 por cento) nunca se casaram.[3]
2. Divorciados. Atualmente, em qualquer faixa etária, dez por cento de todos os

adultos são divorciados.[4] Com o passar do tempo, porém, muitos outros adultos casados enfrentam um divórcio. Dentro de cinco anos, 20 por cento de todos os casamentos acabam em divórcio. Dentro de dez anos, um terço de todos os casais estarão divorciados e dentro de quinze, 43 por cento.[5]

3. Separados mas não divorciados. São os indivíduos que continuam legalmente casados, mas não vivem mais sob o mesmo teto. Seu estilo de vida é mais de solteiros que de casados. O estado de separação é, todavia, temporário. Esses indivíduos vão reconciliar-se com seus cônjuges ou formalizar sua separação mediante o divórcio legal. A pesquisa indica que 97 por cento das mulheres brancas (e 75 por cento das demais) que se separam de seus maridos acabam divorciadas num espaço de cinco anos da separação.[6]
4. Viúvos. A viuvez é definitivamente uma tendência feminina. Quatro em cada cinco adultos sozinhos por causa da morte de um cônjuge são mulheres. Quase metade das mulheres com 65 anos ou mais são viúvas, comparado a apenas 14 por cento dos homens.[7]
5. Pais solteiros. Há cem anos, menos que um em cada cem adultos era pai solteiro de uma criança com menos de 18 anos. Existem hoje mais de doze milhões de pais solteiros com filhos menores de 18 anos aos seus cuidados — quase um em cada três famílias.[8] Como é claro, muitos dos pais solteiros são também divorciados. Entretanto, um número crescente de pais solteiros nunca foi casado. Entre as mães solteiras, 40 por cento nunca se casaram com o pai de seus

filhos.[9] Assim, um número crescente de solteiros que nunca se casaram são também pais solteiros.

DIFERENTES MAS UNIDOS

Fica evidente por esta visão geral que os adultos solteiros diferem muito entre si. Eles são, porém, unidos por aqueles fatores que nos prendem a todos como seres humanos. Se você é um adulto sozinho, está com certeza buscando compreender a si mesmo e seu lugar no mundo. Todo indivíduo sozinho luta com valores, moral, relacionamentos e significado. No âmago dessa busca de um adulto solteiro está a necessidade de dar e receber amor emocional.

Qualquer que seja a categoria, na condição de adulto solteiro você quer sentir-se amado pelas pessoas importantes em sua vida. Quer também acreditar que alguém precisa de seu amor. Quando você se sente amado e necessário, consegue vencer as pressões da vida. Sem amor, a vida pode tornar-se excessivamente sombria.

O HOMEM COM A AURÉOLA DE METAL

Rob ilustra o poder do amor quando o indivíduo está quase sufocado pelos problemas da vida. Conheci Rob em uma de minhas viagens ao Grand Canyon (que, na minha opinião, é um dos mais belos retratos da natureza). Na extremidade sul do canyon, nas proximidades da trilha Bright Angel, vi Rob e dois outros adultos mais velhos. Não foi difícil vê-lo porque estava usando um suporte para as costas com um auréola de metal em redor da cabeça. Acenei amigavelmente e sorri, meu meio de cumprimentar.

Rob respondeu: "Olá, espero que esteja tendo uma boa manhã". Seu sorriso era convidativo, e começamos então a conversar. Descobri que sofrera problemas na coluna devido a um acidente de caminhada. Os adultos mais velhos eram seus pais.

Os três haviam planejado uma viagem ao Grand Canyon dois anos antes. No primeiro ano as finanças foram um problema e eles adiaram então o sonho. A seguir Rob sofrera o acidente e não puderam sair de casa. Agora que Rob estava um pouco melhor, tinham ido ver o desfiladeiro. Quando planejaram originalmente a viagem, a intenção deles era caminhar até a base do canyon. O sonho tivera de ser modificado, mas não fora destruído. Planejavam agora passar a semana admirando as paisagens do lugar.

Rob colocara a cadeira de modo a poder avistar toda a trilha e o canyon. Ele e seus pais estavam contemplando o magnífico cenário. Cumprimentei-os por não terem desistido de seu sonho e desejei que tudo corresse bem para eles.

Meu filho e eu continuamos nossa semana juntos, explorando o desfiladeiro. Quase no final da semana encontrei Rob no vestíbulo da Pousada Bright Angel. Por causa do nosso encontro anterior, parecia-me estar vendo um velho amigo. Acabamos conversando durante duas horas. Rob contou a história da queda que resultou em seus ferimentos e os desmedidos esforços da equipe de resgate, que teve de usar um helicóptero para salvá-lo. Falou também sobre o sofrimento e o conflito emocional daqueles primeiros dias quando não tinha certeza de que poderia andar novamente. Teve várias crises de depressão, perdera uma oportunidade de emprego que estava procurando na época e passou muitas semanas fazendo fisioterapia.

Quando perguntei o que o capacitara a suportar essa experiência e mesmo assim continuar tendo um espírito animado, sua resposta foi simples. "Amor" disse ele. "Só assim pude sobreviver. Meus pais ficaram comigo durante todo o tempo e eu tinha uma amiga... não um relacionamento romântico, mas uma amiga íntima que ia ver-me todos os dias naquelas primeiras semanas. Acho que não teria conseguido sem ela, pois me dava esperança. Encorajou-me durante a terapia e orava comigo. Nunca uma garota orara comigo antes. Havia algo na forma como ela falava com Deus que me deu esperança. Suas palavras eram como a chuva em minhas emoções ressequidas. Continuamos bons amigos. O amor dela e de meus pais manteve a minha sanidade."

Em seguida acrescentou: "Espero algum dia ajudar alguém como eles me ajudaram".

O PODER DO AMOR

Rob é um exemplo vivo: tanto do poder do amor como da necessidade profunda de amar e ser amado por parte do adulto solteiro. O amor é a pedra fundamental de todos os relacionamentos humanos. Ele causa grande impacto em nossos valores e nosso caráter. Estou também convencido de que o amor é o ingrediente mais importante na busca de significado da pessoa sozinha.

Esta é a razão de me sentir compelido a escrever este livro sobre as cinco linguagens do amor. O que você vai ler nas páginas seguintes tem o potencial de acentuar cada área da sua vida. A leitura deste livro vai exigir tempo, mas garanto que será um bom investimento. Você provavelmente investiu algumas horas para aprender a linguagem do computador. Se foi assim, colheu os benefícios. É lamentável, mas a maioria dos adultos solteiros sabe mais a respeito de computadores que do amor. A razão deve ser óbvia. Passaram mais tempo estudando os computadores que estudando o amor.

O INGREDIENTE QUE FALTA

Concordo com o professor Leo Buscaglia, que afirmou:

> Psicólogos, psiquiatras, sociólogos, antropólogos e educadores sugeriram em vários estudos e documentos de pesquisa que o amor é "uma reação aprendida, uma emoção aprendida". (...) A maioria de nós continua a comportar-se como se o amor não fosse aprendido, mas permanece dormente em cada ser humano e simplesmente espera uma ocasião mística em que passa a ser percebido e emerge em plena floração. Muitos aguardam por essa época para sempre. Parece que nos recusamos a enfrentar o fato óbvio de que quase todos passamos a vida tentando encontrar o amor, tentando viver nele e morrendo sem jamais realmente descobri-lo.[10]

Passei os últimos trinta anos de minha vida ajudando pessoas a descobrirem como se ligar emocionalmente com outras, como dar e receber amor. Posso dizer com confiança a todos os solteiros — aqueles que nunca se casaram, que já foram casados ou que se casaram várias vezes — que se você ler e aplicar o que é dito nos capítulos seguintes, descobrirá como dar e receber amor efetivamente. Descobrirá o ingrediente que faltou em alguns de seus relacionamentos anteriores ao aprender a falar a linguagem sublime do amor com as pessoas.

Grande parte do sofrimento na sociedade contemporânea, no que diz respeito a relacionamentos rompidos, tem origem na verdade de que muitos em nossa cultura ocidental nunca foram dedicados estudantes do amor. Nas páginas seguintes você vai encontrar um grande número de adultos sozinhos de todas as categorias e idades que descobriram que o amor tem realmente potencial para mudar o mundo.

Reflexões

1. Até que ponto você se sente amado pelas pessoas importantes em sua vida?
2. Numa ocasião de necessidade, você experimentou o amor de um amigo, como o que Rob descreveu: "Acho que não teria conseguido sem ela?". Se experimentou, como seu (sua) amigo(a) mostrou seu amor?
3. Você já mostrou amizade por alguém que precisava de apoio? De que forma expressou seu amor?
4. Até que ponto você teve sucesso em dar e receber amor emocional?
5. Você está interessado em estudar a natureza do amor e aprender novos meios de expressá-lo?

2 • O segredo dos relacionamentos

Somos criaturas relacionais. Todos os seres humanos vivem em comunidade, e a maioria das pessoas busca a interação social. Na cultura do ocidente, o isolamento é considerado um dos castigos mais rigorosos. Nem mesmo os criminosos desejam o confinamento na solitária.

É seguro supor que todos que leiam este livro possuam relacionamentos. A pergunta, porém, é esta: Qual a qualidade desses relacionamentos?

Os relacionamentos positivos, afirmativos, dão grande prazer, mas os negativos produzem sofrimento profundo. Ouso sugerir que a maior felicidade da vida é encontrada nos bons relacionamentos, e o maior sofrimento da vida, nos maus relacionamentos. Se você se sentir amado por sua mãe, o relacionamento maternal produzirá em você um sentimento de conforto e encorajamento. Entretanto, se o relacionamento com ela é rompido, é provável que você desenvolva sentimentos de abandono. Se ela abusou de você, provavelmente sente mágoa e ira ou talvez até ódio.

O PAPEL DE NOSSOS PAIS

A falta de amor dos pais geralmente motiva os filhos a buscarem amor em outros relacionamentos. Esta busca é quase sempre mal orientada e leva a novas decepções. Durante vários anos meu filho, Derek, trabalhou com pessoas "de rua". Há alguns anos ele me disse: "Nunca encontrei alguém na rua que tivesse um bom relacionamento com o pai".

Todos seus relacionamentos têm origem na relação com seus pais. A natureza desta relação terá uma influência positiva — ou negativa — em todos os outros relacionamentos.

Muitos adultos sozinhos não se sentiram amados por um ou por ambos os pais. Para compensar o vazio, eles se empenharam em buscas positivas e atingiram muitos alvos admiráveis em várias áreas, mas foram extremamente mal sucedidos em construir relacionamentos positivos com outros adultos. A maioria está sempre perguntando: "O que preciso aprender sobre o amor, a fim de manter relacionamentos bem-sucedidos, positivos?". A compreensão das cinco linguagens do amor vai responder a essa pergunta.

Outra realidade sobre relacionamentos é que eles nunca são estáticos. Todos experimentamos mudanças nas relações, mas poucos param para analisar por que um relacionamento melhora ou piora. A maioria dos solteiros divorciados não iniciou o casamento com a idéia de divorciar-se. De fato, quase todos estavam extremamente felizes quando se casaram. Teriam classificado seu relacionamento marital como positivo, amoroso e afirmativo. É evidente que algo aconteceu ao relacionamento. Por ocasião do divórcio, o casal está dizendo coisas como: "Meu cônjuge não é amoroso, nem carinhoso. É egoísta e algumas vezes até mesquinho". O irônico é que o outro cônjuge diz o mesmo a respeito do primeiro. O casamento evidentemente azedou, mas por quê?

OS ESTÁGIOS DE UM RELACIONAMENTO ROMÂNTICO

Com milhares de casamentos acabando em divórcio todos os anos, não está na hora de parar e perguntar o porquê? Por que os bons casamentos acabam mal? Por que as pessoas voltam a ficar sozinhas? Depois de trinta anos como conselheiro matrimonial, estou convencido de que a resposta está na incompreensão da maioria das pessoas sobre a natureza do amor.

A sociedade ocidental é em grande parte adepta do amor romântico. Duvida disso? Ouça então nossas músicas, assista a nossos filmes e verifique as estatísticas de vendas dos romances. No entanto, ignoramos completamente os fatos sobre o amor. Aceitamos o conceito de que o amor é algo que acontece a você. É mágico, obsessivo e extremamente divertido. Se você tem um amor, tem mesmo; e se não tem, não tem mesmo, e não há nada a fazer. Embora esta descrição do amor seja bastante exata, ela descreve apenas o primeiro estágio de um relacionamento romântico. Não descreve, entretanto, o segundo e mais importante estágio do amor romântico. Vamos examinar esses dois estágios de uma relação.

O estágio do amor obsessivo

Poucos têm conhecimento da pesquisa realizada sobre o estágio obsessivo do amor. Parte da pesquisa mais extensa foi feita pela prof. Dorothy Tennov, da Universidade de Connecticut em Bridgeport. Em seu livro clássico, *Love and limerence* (*Amar e estar apaixonado*), Tennov concluiu que a duração média deste tipo de amor é de dois anos.[1] Durante o estágio de amor obsessivo, vivemos sob a ilusão de que a pessoa a quem amamos é perfeita... pelo menos, perfeita para nós. Nossos amigos podem ver os defeitos dela, mas nós não. Sua mãe talvez diga:

— Querida, você já pensou que ele não tem emprego fixo há cinco anos? — E sua resposta pode ser: — Mãe, pegue leve. Ele está esperando a oportunidade certa. — Seu colega de trabalho talvez diga: — Você já considerou que ela foi casada cinco vezes? —, ao que você responde: — Ela casou com perdedores. Essa mulher merece ser feliz e eu vou fazê-la feliz.

Durante este estágio inicial do amor, temos outros pensamentos irracionais, como "Nunca serei feliz enquanto não estivermos juntos para sempre. Nada mais importa nesta vida".

Tais pensamentos levam no geral o estudante a abandonar a escola para casar-se com seu amor ou para morar juntos, embora não sejam casados. Neste estágio do amor, as diferenças são minimizadas ou negadas. Sabemos apenas que somos felizes, que nunca fomos mais felizes e que pretendemos manter isso até o fim de nossas vidas.

Este estágio do amor não requer muito esforço. Eu me achava no Aeroporto Internacional de Filadélfia certa tarde quando uma jovem que chamarei Suzy aproximou-se de mim e se apresentou. Ela me fez lembrar que nos conhecemos em uma conferência dois anos antes. Durante a conversa soube que iria casar-se em cerca de seis semanas. Estava na verdade a caminho para encontrar o noivo, designado para uma base naval perto de Chicago. Quando contei que iria realizar um seminário sobre casamento, ela perguntou: — O que você ensina nele?

— Ajudo os casais a aprenderem como trabalhar em seus casamentos.

— Não compreendo — respondeu Suzy. — Por que é preciso trabalhar num casamento? Se tem de trabalhar nele, isso não significa que seria melhor não casar?

Ela estava expressando um mito comum sobre o amor. O mito contém alguma verdade, mas não passa de verdade parcial. O que é verdade é que o amor exige muito pouco trabalho em seu estágio inicial. Não é preciso trabalhar para apaixonar-se. Simplesmente acontece.

Tudo começa com o que chamo de "formigamento". Há algo sobre a aparência da outra pessoa, a maneira como ele (ou ela) fala, como age, como anda, que faz você formigar por dentro. São os formigamentos que nos fazem convidar alguém para sair. Algumas vezes, porém, eles somem no primeiro encontro. Algo que a pessoa faz ou diz nos aborrece, ou descobrimos nela um hábito que não podemos tolerar. Portanto, da próxima vez em que nos convidam para sair, não estamos disponíveis. Achamos ótimo se não virmos mais a pessoa e os formigamentos morrem de morte natural, morte rápida.

Com outros, no entanto, cada vez que saímos para comer um hambúrguer, mal podemos esperar pelo próximo encontro. Os formigamentos ficam cada vez mais fortes e a obsessão emocional se estabelece. Começamos a pensar na pessoa no momento em que acordamos. Ele ou ela é a última pessoa em quem pensamos antes de dormir. O dia inteiro ficamos imaginando o que o outro está fazendo. Mal podemos esperar para estar juntos outra vez e, cada vez que isto acontece, é maravilhoso!

Um de nós diz eventualmente ao outro algo como "Acho que poderia amar você". Estamos tentando descobrir se a pessoa está sentindo o mesmo que nós. Se nos der uma resposta positiva, como "O que há de mal nisso?", a tarde vai ser ótima. Da próxima vez em que a lua seja propícia, dizemos realmente as palavras "Amo você". E esperamos que ele (ela) responda "Também amo você". A partir desse momento, a obsessão emocional cresce até que estejamos certos de que desejamos passar o resto de nossas vidas juntos.

É neste estágio obsessivo do amor que a maioria das pessoas se casa e outras começam a viver juntas. O relacionamento não exigiu esforço. Fomos empurrados pelas emoções intensificadas da obsessão da "paixão". Por isso minha amiga do aeroporto não pôde compreender a idéia de trabalhar no casamento. Ela esperava que seu casamento continuasse neste estado eufórico, no qual cada um daria gratuitamente de si ao outro e consideraria o outro a pessoa mais importante do universo.

Dirigindo-se para o segundo estágio do amor

Embora Suzy compreendesse o primeiro estágio do amor, ela não conseguia entender o segundo. Não sabia nem sequer da existência desse estágio. Suas percepções do amor são típicas tanto para os adultos solteiros como para os casados na cultura ocidental. É por isso que compreender as cinco linguagens do amor é tão essencial se quisermos relacionamentos de longa duração. Elas ensinam como manter o amor emocional vivo quando sairmos do pico emocional do estágio obsessivo do amor.

Sem este conhecimento, quatro em cada cinco indivíduos que se divorciam voltarão a casar-se e a repetir o ciclo com outro parceiro. Sessenta por cento dos que se casam vão experimentar um segundo divórcio, voltando a ficar sozinhos... a não ser que aprendam a verdadeira natureza do amor e passem com sucesso do primeiro para o segundo estágio.

O estágio de aliança do amor

Prefiro chamar o segundo estágio de "amor de aliança". É muito diferente do primeiro, que chamo às vezes de "amor apaixonado". Não quero dizer que o amor de aliança não seja apaixonado, mas no amor de aliança a paixão precisa ser alimentada e cultivada. Ele não continuará a fluir simplesmente porque permanecemos no relacionamento. É bem diferente do primeiro estágio. A obsessão que tivemos um pelo outro começa a diminuir e reconhecemos que há outras coisas importantes na vida além da busca um do outro. As ilusões da perfeição se evaporaram e as palavras de sua mãe voltam-lhe à mente: "Ele não teve um emprego fixo em cinco anos", ou você lembra das palavras de seu amigo: "Essa mulher já se casou cinco vezes".

Agora, você começa a concordar mentalmente com sua mãe (ou seu amigo). Fica imaginando como pôde ser tão cega para a realidade.

As diferenças de personalidade, interesses e estilo de vida se tornam tão óbvias quando antes você mal as via. A euforia que a levou a colocar o parceiro em primeiro lugar e a se concentrar no bem-estar do outro agora dissipou-se, e você começa a concentrar-se em si mesmo e a compreender que seu parceiro não está mais satisfazendo suas necessidades. Você começa então a pedir e depois a exigir isso da pessoa, e quando ele ou ela se recusa a atender a suas exigências, você se retrai ou ataca com raiva. Sua ira ou retraimento afasta ainda mais seu parceiro e torna mais difícil para ele/ela expressar amor por você.

Um relacionamento assim prejudicado pode renascer? A resposta é sim, se o casal vier a compreender a natureza do amor e aprender como expressar amor numa linguagem que a outra pessoa possa aceitar.

O estágio obsessivo passou. O casal pode estar namorando ou estar casado, mas deve mover-se para o estágio seguinte para que o relacionamento romântico não termine.

O amor de aliança é o amor consciente. É o amor deliberado. É um compromisso de amar apesar de tudo. Ele requer pensamento e ação. Não espera pelo encorajamento das emoções, mas escolhe buscar o interesse do companheiro porque está comprometido com o bem-estar do outro.

Nosso comportamento afetará as emoções da pessoa. De fato, se aprendermos a expressar amor em sua linguagem de amor, ela se sentirá amada. Se essa pessoa corresponder, falando a nossa linguagem de amor, vai satisfazer nossa necessidade emocional de amor. Teremos feito a transição do amor euforia ou paixão para a confiança profunda, estabelecida, do amor de aliança. Amamos um ao outro e nosso sentimento vai durar porque decidimos cultivar o amor aprendendo a expressá-lo efetivamente.

É o amor aliança que sustenta uma relação através dos anos e leva o marido de cinqüenta anos a dizer sobre a esposa "Eu a amo mais agora que quando nos casamos".

O amor de aliança requer dois fatores: conhecimento da natureza do amor e disposição para amar. A compreensão das cinco linguagens do amor dará a informação de que você precisa para ter um relacionamento de amor aliança de longa duração e bem-sucedido. Minha esperança é que, ao ver os benefícios do amor de aliança, você encontre também a disposição para amar.

Esta é então a tese deste livro, baseado em trinta anos de experiência no consultório de aconselhamento: estou convencido de que existem apenas cinco linguagens fundamentais do amor. Cinco maneiras de expressar amor emocionalmente. Nos capítulos seguintes vamos discuti-las. Cada um de nós tem uma linguagem de amor principal e uma dessas cinco linguagens fala mais profundamente conosco que as outras quatro. Podemos receber amor por meio das cinco, mas se não recebermos nossa linguagem de amor principal, não nos sentiremos amados, mesmo que a outra pessoa esteja falando as outras quatro. Todavia, se falarem suficientemente nossa principal linguagem do amor, as outras quatro vão prover o glacê para nosso bolo.

EXPRESSANDO O AMOR NA LINGUAGEM CERTA

O problema é que por natureza tendemos a falar a própria linguagem do amor. Isto é, expressamos amor a outros numa linguagem que nos faria sentir amados. Mas, se não for a principal linguagem de amor dele ou dela, não significará para eles o que significaria para nós.

É por isso que milhares de casais sentem-se frustrados. Sam, um solteiro divorciado, disse sobre a mulher que está namorando: "Não a compreendo. Ela diz que acha que eu não a amo. Como pode sentir-se assim? Digo que a amo todos os dias. Faço também elogios diariamente. Digo como é bonita. Digo como é uma boa mãe. Como pode sentir-se não amada?

O problema é que a linguagem de amor dela é "atos de serviço", e não "palavras de afirmação". Ela está pensando: "se ele me amasse faria algo para ajudar-me. Quando vem aqui fica vendo TV enquanto eu lavo os pratos. Nunca me ajuda com nada. Estou cansada de ouvir, 'Amo você. Amo você.' Palavras são fáceis. Se me amasse realmente, faria alguma coisa. Faço tudo para ele, e ele não faz nada por mim".

Esta cena se repete em milhares de relacionamentos. Cada pessoa fala sua linguagem e não entende por que o outro não se sente amado. Se queremos que a outra pessoa sinta-se amada, devemos descobrir sua linguagem principal e aprender a usá-la.

Muitos namoros acabam, especialmente se o casal namora além do estágio obsessivo de dois anos do amor apaixonado. Muitas vezes esses casais rompem e seguem seus caminhos separados não porque não seriam bons parceiros no casamento, mas por terem perdido o amor emocional um pelo outro. Em geral, isto poderia ter sido corrigido se eles descobrissem a principal linguagem do amor de cada um e aprendessem a expressá-la.

CINCO LINGUAGENS PARA TODOS OS RELACIONAMENTOS

Discuti neste capítulo o relacionamento homem-mulher e enfoquei o relacionamento de namoro; entretanto, as cinco linguagens do amor se aplicam a todos os relacionamentos humanos. Alguns adultos solteiros não se sentem amados pelos pais não pelo fato de eles não os amarem, mas por não terem aprendido a falar a principal linguagem do amor da criança. Muitos adultos solteiros falharam em suas ambições vocacionais não por lhes faltar habilidade para o trabalho, mas por não terem aprendido a expressar apreciação aos que trabalham com eles e para eles. Em conseqüência, os relacionamentos se tornam tensos e a produtividade é prejudicada. Isto os leva com freqüência a procurar outro emprego ou a serem solicitados a buscar outra colocação. Há ainda aqueles que se sentem frustrados por amizades a longo prazo, nas quais eles ou seus amigos não se sentem amados ou apreciados e se esforçam para se compreenderem melhor.

Aprender a exprimir amor e apreciação numa linguagem que a outra pessoa possa receber é o segredo para intensificar todos os relacionamentos humanos. Posso assegurar-lhe que, se ler os capítulos seguintes e aplicar os princípios das cinco linguagens do amor, vai tornar-se mais eficiente em todos seus relacionamentos. Os princípios no restante do livro são as mesmas verdades que compartilhei com centenas de pessoas em meu consultório de aconselhamento. Tenho todas as razões para crer que eles serão tão eficazes para você como foram para elas.

Vamos começar então examinando a primeira linguagem do amor.

Reflexões

1. Quais dos seus relacionamentos você considera sadios?
2. Quais dos seus relacionamentos você gostaria de melhorar?
3. Como você descreveria seu relacionamento com sua mãe? E com seu pai?
4. Nos relacionamentos amorosos, quantas vezes experimentou o Primeiro Estágio: paixão?
5. Você conseguiu fazer a transição para o Segundo Estágio: amor de aliança? Por quê?
6. Você está disposto a investir tempo para aprender a falar as cinco linguagens do amor?

3 • Linguagem do amor nº 1: Palavras de afirmação

Psicolingüística: o estudo do efeito da linguagem sobre a personalidade. Esta é uma palavra interessante, mas a verdade é que todos nós fomos grandemente influenciados pelas palavras que ouvimos no correr dos anos. Alguns adultos solteiros cresceram num ambiente lingüístico positivo. Ouviram palavras que enfatizam os aspectos agradáveis, alegres e belos da vida. Outros cresceram num ambiente lingüístico que deu ênfase aos aspectos negativos. As crianças que crescem nesses ambientes largamente contrastantes ouvem vocabulários tão diversos que resultam em personalidades e padrões de comportamento absolutamente diferentes. O provérbio hebraico antigo não exagerou o impacto das palavras: "A morte e a vida estão no poder da língua".[1]

Se as palavras têm tamanho poder de influência, é compreensível que as palavras de afirmação sejam uma das cinco linguagens fundamentais do amor. Fica também óbvio que os solteiros que cresceram num ambiente lingüístico negativo terão maior dificuldade para aprender a falar palavras de afirmação. Para alguns significará o aprendizado de um vocabulário inteiramente novo, enquanto buscam esquecer os termos negativos que lhes saem tão facilmente da boca. Isso também envolve aprender a ouvir, escutar de verdade, as palavras afirmativas de outros.

Quero deixar bem claro desde o início: meu desejo para os solteiros que lêem este livro é que aprendam tanto a receber como a dar amor nas cinco linguagens do amor. Estou supondo que aqueles que reservarem tempo para ler um livro sobre amor desejam vir a ser pessoas melhores, ter melhores relacionamentos e alcançar seu pleno potencial, causando um impacto positivo no mundo. Creio sinceramente que aprender a falar e a compreender as cinco linguagens do amor ajudará você a alcançar esse objetivo.

A boa notícia é que todas essas linguagens podem ser aprendidas. Neste capítulo estamos nos concentrando em aprender a dar e receber palavras de afirmação. Para algumas pessoas esta é sua principal linguagem de amor; todos precisamos ter condições de expressá-la. Todos gostamos de ouvi-la. Como poderemos desenvolver melhor esta linguagem?

Para alguns solteiros, esta já é sua língua nativa. Eles cresceram num ambiente lingüístico positivo, ouvindo muitas palavras afirmativas desde a primeira infância. Por tê-la praticado durante muitos anos, será relativamente fácil para eles falar esta linguagem. Estes são os solteiros conhecidos em seu círculo social como encorajadores. Estão constantemente afirmando, incentivando e expressando palavras de apreciação a outros.

As palavras de afirmação podem ser uma linguagem estranha para outros solteiros. Eles nunca aprenderam a receber tais palavras nem a dizê-las. Em todo este capítulo vou dar idéias práticas sobre como aprender a falar esta linguagem de amor. Começarei descrevendo sua natureza e seu potencial de influência sobre os relacionamentos humanos, apresentando Brian a você.

Conheci Brian numa conferência para solteiros há alguns anos. Ele era um homem alto e de boa aparência. Era o tipo de rapaz que as garotas notavam e comentavam em suas conversas particulares à noite. Todavia, descobri que Brian não tinha tido muito sucesso com as mulheres no passado. De fato, essa foi a razão para ter-me procurado.

BRIAN: HERÓI DO FUTEBOL E FIASCO NOS RELACIONAMENTOS

Ele jogara futebol tanto na escola secundária como na faculdade e tinha a seu favor uma boa porção de honrarias no atletismo. Mas nada disso parecia importante para Brian. "O que é preciso para jogar futebol?" perguntava-se. Então passou a responder a própria pergunta. "Um corpo robusto, um cérebro e bastante trabalho árduo. Mas o que me preocupa são os 'relacionamentos'. Isto é muito mais difícil que qualquer outra coisa que experimentei jogando futebol."

Com um olhar bastante infeliz, ele acrescentou: "Estou ficando mais velho. Vou indo bem em minha profissão. Mas quero casar-me. Quero ter uma família. No momento, porém, não tenho nem sequer namorada. Parece que não consigo ter intimidade com ninguém. Já tive namoradas, mas o caso não foi adiante".

Pude ver que Brian estava confuso e falava sério. Comecei perguntando:

— Quanto tempo durou seu namoro mais longo?

— Cerca de quatro meses. Na verdade, namorei uma garota durante três meses e outra cerca de quatro meses. O período foi bem mais curto com as restantes.

— As moças rompem o relacionamento ou é você que termina o namoro? — perguntei.

— Em geral são elas. Uma ou duas vezes namorei pessoas em quem não estava interessado e então não as convidei mais para sair.

— Alguma delas disse por que não queria mais namorá-lo?

— A que namorei três meses disse que achava que não tínhamos muito em comum, e a outra, que não éramos compatíveis, o que quer que isso signifique.

Acrescentou então em seguida: — Não sei, mas penso que tem algo a ver com o fato de que não sou bom de conversa.

Quando as coisas entram no terreno pessoal...

— Não é que eu não saiba falar, falo bastante. É sempre sobre meu trabalho, minha família: ou o trabalho e a família dela. É como se eu não soubesse falar sobre nós. Não sei o que dizer quando as coisas se tornam pessoais.

Senti que Brian estava no caminho certo e lhe disse: — Quando estava crescendo, que tipo de relacionamento você tinha com seu pai?

Ele refletiu um momento e respondeu: — Difícil. Meu pai tinha problema de alcoolismo. Raras vezes comparecia a meus jogos na escola secundária ou na faculdade. Quando ia, criticava muito meu modo de jogar. Nunca me esquecerei das palavras dele quando foi assistir ao jogo de futebol da faculdade. Foram estas: "Você nunca vai chegar a ser um profissional jogando assim".

— Lembro-me de como fiquei arrasado. Saí e embriaguei-me naquela noite, tentando não pensar no que meu pai dissera. Mas nunca consegui tirar essas palavras da cabeça. Acho que esse foi o motivo pelo qual não pensei seriamente em jogar futebol profissional.

— Quando você era mais jovem, seu pai também era crítico? — perguntei.

— Era, especialmente quando bebia. Nada estava certo para ele nessas condições. Criticava a mim e a minha mãe.

— E sua mãe? — indaguei. — Que tipo de relacionamento tinha com ela?

— Minha mãe estava quase sempre deprimida. A vida dela era difícil. Ela preparava minhas refeições, lavava minhas roupas e todas essas coisas. Mas não tínhamos um relacionamento íntimo, especialmente quando entrei na adolescência. Minha mãe cobrava as tarefas da escola e os horários de chegar em casa. Lembro-me de que na escola secundária ela estava sempre dizendo que eu não devia deixar o futebol interferir em meus estudos.

Um lar de palavras desencorajadoras

Depois de nossa breve conversa, ficou claro para mim que Brian crescera num ambiente lingüístico negativo. A maioria das palavras que ouviu dos pais eram críticas, desanimadoras. Eu disse então a ele: — Quando estava namorando Sandra e Tricia, o que achou atraente nelas? — Brian pareceu bastante embaraçado com minha pergunta, mas tentou responder aos tropeções.

— Bem, as duas eram bonitas. Sandra era divertida; Tricia mais quieta, mas muito sincera. Uma das coisas de que gostava nela era seu compromisso espiritual. Era uma cristã dedicada, e eu apreciava isso. Gostava também de sua família; seus pais tinham um bom casamento e pareciam aceitar-me. Os passatempos favoritos de Sandra eram ir ao cinema e andar de bicicleta. Esse não era o meu *hobby*, mas achava legal. Fizemos duas viagens de dia inteiro. As duas moças haviam terminado a faculdade e eram inteligentes. Eu apreciava isso em ambas.

— Você se lembra de ter elogiado alguma delas pela sua maneira de vestir?

Houve uma longa pausa, e depois Brian respondeu: — Não sei. Elas se vestiam de modo normal. Não me lembro muito de suas roupas. Estavam sempre apresentáveis.

— Você então não lembra de ter dito a uma delas: "Está bonita com essa roupa"?

— Não, acho que não.

— Você se lembra de ter feito a Sandra uma declaração semelhante a esta: "Gostei muito do filme que você escolheu".

— Eu gostava da maioria dos filmes que ela sugeria. Só me aborreci uma ou duas vezes quando não gostei do enredo da história.

Não tinha certeza de que Brian ouvira minha pergunta, portanto, repeti: — Você chegou a dizer que apreciara o filme que ela escolhera? — A resposta dele foi reveladora.

— Penso que ela sabia que eu gostava dos filmes.

Ficou evidente para mim, mas não para Brian, que ele nunca aprendera a falar a linguagem do amor conhecida como palavras de afirmação.

Eu não tinha certeza de poder comunicar a Brian numa única conversa o que estava percebendo, mas fiz uma tentativa: — Brian, espero poder compartilhar com você o que estou sentindo, porque acho que vai ajudá-lo em seus relacionamentos futuros. Você cresceu num ambiente familiar em que não recebeu muitas palavras de afirmação. De fato, o que recebeu foram principalmente palavras críticas, de reprovação. Você ainda lembra algumas dessas palavras, mesmo sendo adulto, porque o feriram profundamente. Isso não significa que seus pais eram maus, ou que não amavam você. Significa que você nem sempre sentiu o amor deles.

Notei que os olhos de Brian estavam ficando molhados e soube que ele estava ouvindo emocionalmente o que eu dizia. Todavia, eu não estava pronto para a próxima declaração dele. As lágrimas corriam livremente agora, e ele disse:

— Acho que todo homem gosta de ouvir o pai dizer "Amo você, tenho orgulho de você". Mas sou adulto agora. Não devo deixar que isso me afete. Não posso mudar as coisas. Por que estou chorando então?

Brian sorria agora, enxugando as lágrimas do rosto, sentindo-se um pouco envergonhado.

Respondi: — Você está chorando porque aquilo que está dizendo é muito importante. Todos queremos nos sentir amados e apreciados por nossos pais. Uma das maneiras pelas quais sentimos amor é ouvindo palavras de afirmação. Era isso o que você queria ouvir de seus pais. É isso que todos queremos ouvir. Mas o que ouviu em vez disso foram palavras críticas. Elas mais magoaram que ajudaram. Acho que existe algo que pode ser feito para corrigir o passado. Mas quero primeiro enfocar seu relacionamento com as namoradas, e o que vou dizer pode fazê-lo chorar ainda mais. Penso que uma das razões das suas dificuldades nos relacionamentos é que, por nunca ter ouvido a linguagem do amor chamada de palavras de afirmação, você não sabe como dizê-las a outros.

— Você falou que não se lembra de ter dito a Sandra ou a Tricia: "Você está bonita com essa roupa". Não se lembra de ter dito a Sandra: "Você escolheu bem esse filme. Gostei muito." De fato, afirmou que quando se tratava de coisas pessoais não sabia como "falar sobre nós", o que me leva a crer que tem uma excelente habilidade para tratar de coisas como futebol, profissão, família, política, tempo e esportes, mas nunca aprendeu a dizer palavras afirmativas em nível pessoal.

— As mulheres gostam de ouvir palavras de afirmação como os homens. Elas tendem a afastar-se dos namorados que não sabem afirmar. A falta de afirmação verbal é interpretada como falta de amor.

A descoberta de Brian

Brian não chorava mais, mas sacudiu a cabeça ao falar: — Como pude ignorar isso? Você tem razão: eu não afirmo as pessoas.

— De fato, sou quase sempre crítico. Lembro-me de ter ficado aborrecido com Tricia por ter-se atrasado para um encontro certa vez e censurei-a por não ser responsável. Várias vezes com Sandra e Tricia apontei áreas em que julgava que precisavam amadurecer. Compreendo agora que as critiquei exatamente como meu pai me criticava. Por que não vi isto? — Brian chorou novamente.

Eu sabia que aquele podia ser um ponto crucial na vida de Brian; fiquei então sentado em silêncio enquanto ele chorava e coloquei a mão em seu ombro. Num certo momento ele perguntou: — Há esperança para mim? Como posso dar o que nunca recebi?

Tenho a certeza de que Brian nunca supôs que nossa conversa nos levaria a tal profundidade, mas estávamos ali agora, e não havia volta.

Eu disse então: — Brian, há esperança. Essa é a maravilha de sermos humanos. Podemos mudar nosso futuro. Não precisamos ficar escravizados pelas experiências do passado. Podemos aprender a amar mesmo que não tenhamos recebido amor.

Aprender a amar outros é, na verdade, a maneira mais rápida de receber amor.

TEMPO PARA AGIR

Ficou evidente para mim que a fé cristã de Brian era importante para o rapaz, e então o levei a lembrar-se das palavras de Jesus: "Dai e dar-se-vos-á".[2] Fiz também com que lembrasse que as Escrituras dizem: "Nós amamos porque ele nos amou primeiro".[3] O mesmo princípio se aplica aos relacionamentos humanos. Afirmei: — Se quisermos ser amados, e todos nós queremos, o primeiro passo é expressar amor por outros.

— Pode ajudar-me? — perguntou Brian.

— Posso e farei isso — respondi —, mas não neste momento. Tenho um compromisso em cinco minutos. Se quiser encontrar-se comigo às nove da noite, no saguão, trazendo um caderno de apontamentos, vou dar-lhe algumas idéias de como você pode aprender a falar a linguagem do amor em palavras de afirmação.

— Estarei aqui — replicou ele.

Abracei Brian e saí, sabendo que aquele poderia ser um dos dias mais importantes de sua vida.

Abrindo o caderno de apontamentos

Quando cheguei às nove horas naquela noite, Brian já estava a postos com seu caderno de apontamentos. — Agradeço muito por dispor de seu tempo para encontrar-se comigo — disse ele. — Sei que deve estar bastante cansado.

— Cansado, mas ainda acordado, espero — respondi.

— Estive pensando em nossa conversa a tarde inteira — falou ele. — Tudo faz sentido. Não sei como pude ignorar essas coisas tanto tempo.

— Olhe, o importante é fazer algo a respeito. Você está pronto?

— Estou — disse ele abrindo o caderno.

Começamos falando de seus pais. O pai tinha estado sóbrio nos últimos anos, mas de vez em quando "escorregava", afirmou Brian. Por causa de seu novo emprego, o rapaz só via os pais a cada três meses mais ou menos.

— Com que freqüência fala com eles por telefone, ou lhes manda e-mails?

— Não mando e-mails porque nenhum dos dois usa computador, mas telefono cerca de uma vez por semana só para saber se estão bem.

— Ótimo. O primeiro princípio é começar onde você está. — Brian escreveu no caderno: "Começar onde está". Notei que ele estava pronto para aprender.

— Vou dizer-lhe onde acho que está. Este é um resumo do que conversamos esta manhã. Você agora é adulto, um adulto que não lembra de ter ouvido o pai dizer: "Amo você. Tenho orgulho de você, filho" e um adulto que tem poucas lembranças de ouvir comentários positivos da mãe. Certo?

Brian fez que sim com a cabeça.

— No decorrer dos anos, você tentou remover a mágoa de seu coração, dizendo a si mesmo que não era assim tão importante. Mas ficou evidente pela nossa conversa esta manhã que na verdade é importante.

— O segundo princípio é "Seja ativo, e não passivo". — Brian escrevia novamente.

— Até agora sua abordagem tem sido passiva. Você sofreu em silêncio. A partir de hoje, quero encorajá-lo a tomar uma atitude. A escolha de amar é também uma escolha de tomar a iniciativa. É a decisão de fazer ou dizer algo em benefício da outra pessoa, algo que a tornaria uma pessoa melhor, algo que enriqueça sua existência e dê mais significado a sua vida.

Afirmando os pais

— Um meio de expressar amor é expressar palavras de afirmação, o que nos leva ao terceiro princípio: "Trace uma estratégia para amar ou expressar amor." Quero sugerir esta estratégia: da próxima vez que telefonar para casa, quando terminar a conversa com sua mãe ou seu pai, diga: "Amo você, mãe" ou "Amo você, pai". Combinado? Não importa a reação deles. O importante é que você está tomando a iniciativa de dirigir-lhes palavras de afirmação, e sua estratégia é usar o telefone para isso.

— Depois de ter agido assim pela primeira vez, será mais fácil repetir na segunda e na terceira vez. Nos três meses que se seguem quero encorajá-lo a terminar todas as conversas telefônicas com seus pais com as palavras *amo você*! No fim de três meses quero que acrescente outra declaração. Depois de "amo você, pai", quero que diga: "Obrigado pelo que fez por mim esses anos todos" e faça o mesmo com sua mãe. Use estas declarações nos três meses seguintes. Você acha que consegue?

— Acho que sim — respondeu Brian. — A primeira vez vai ser a mais difícil, imagino.

— Vamos ver agora se estamos seguindo a mesma orientação. Essas duas declarações são verdadeiras? "Amo você, mãe" e "Amo você, pai?" Lembre-se, amor é a atitude que deseja o que é bom para a outra pessoa. Você deseja a melhor melhor possível para seus pais pelo resto dos anos em que viverem?

— Desejo.

— Então, "amo você" é uma declaração verdadeira.

— É.

— E esta declaração: "Obrigado pelo que você fez por mim todos esses anos?" Suponho que sua mãe fez algumas coisas boas para você.

— Claro.

— E seu pai trabalhou e pagou as contas e outras coisas?

— Sim.

— Então, estou pedindo é que verbalize a verdade a seus pais. Palavras de afirmação são simplesmente declarações verdadeiras afirmando o valor da outra pessoa.

— Se tentar isto, quase posso garantir que antes de se passarem seis meses seus pais vão também começar a dizer-lhe palavras de afirmação. Você não está fazendo isso para receber afirmação deles, mas porque decidiu amá-los. O fato, porém, é que amor estimula amor, e você está decidindo tomar a iniciativa em vez de esperar que eles o façam.

Onde começar

— Acho que posso fazer isso — disse Brian. — Mas como isso vai ajudar nos meus relacionamentos amorosos?

— É um primeiro passo. Se aprender a dar amor a seus pais, mediante palavras afirmativas, pode então aprender a dizê-las a suas namoradas. Mas, esse não é o primeiro passo. No momento você não tem namorada, não é?

— É.

— Quero então que aplique esse princípio em seus relacionamentos no emprego. Você interage com pessoas em seu trabalho, não é? Quero então que estabeleça o alvo de afirmar verbalmente alguém com quem trabalha pelo menos uma vez por semana nos próximos três meses.

Preparando uma lista

Dei a Brian uma lista do tipo de coisas que ele poderia dizer. Ela incluía o seguinte:

- Obrigado por fazer esse telefonema, eu não tinha realmente tempo para falar com ele e você fez tudo certo.
- Você sempre tem uma atitude positiva. Gosto disso.
- Você fez um ótimo trabalho. Obrigado.
- O chefe me contou o que você fez. Obrigado por me deixar numa boa posição.
- Quando você faz alguma coisa, faz sempre certo. Aprecio muito isso em você.

— Você se encontra com o zelador onde mora? — perguntei a Brian.

— Não muito, mas quando chego tarde do emprego, às vezes o vejo às vezes.

— O que acha de dizer então "Obrigado por levar o lixo para a rua todas as noites. Isso facilita muito a nossa vida aqui?"

Ele escreveu essa idéia no caderno, junto com a lista acima. Brian sugeriu mais algumas declarações de afirmação. Uma delas me fez rir. — Eu poderia agradecer ao homem que faz o café todas as manhãs — disse ele.

— O que você lhe diria?

— Poderia dizer "Dan, obrigado por fazer o café todas as manhãs. Embora não tome café, gosto muito do cheiro que ele exala."

— Muito bom! Nas próximas semanas quero encorajá-lo a fazer acréscimos nessa lista em seu caderno e toda semana faça uma declaração de afirmação a alguém em seu ambiente de trabalho.

Brian respondeu, sorrindo: — Está bem, mas e os meus relacionamentos de namoro?

— Posso ver que está empenhado nesse negócio de namoro.

— Estou ficando mais velho, dr. Chapman. Quero casar-me, e o namoro geralmente acontece antes do casamento.

Apesar de ele estar sorrindo, pude ver que falava com sinceridade.

Disse então: — Em outra página de seu caderno quero que comece a escrever os tipos de declarações que poderia fazer a uma garota que esteja namorando, declarações que afirmem o valor dela. Pode até pensar em pessoas que namorou no passado e perguntar a si mesmo: "O que eu poderia ter dito a elas que fosse uma afirmação?"

— Vamos voltar ao que conversamos esta manhã, declarações como "Você está bonita com esse traje" e "Você escolheu um ótimo filme, gostei demais."

Brian começou a escrever novamente.

— Agora, o que mais poderia ter dito a Sandra?

Houve uma longa pausa, e Brian disse: — Poderia ter falado "Seus olhos são lindos."

— Eram mesmo?

— Eram sim. Foi uma das coisas que me atraíram para ela. Seus olhos cintilavam.

— Acrescente então isso em sua lista de afirmação: "Seus olhos são lindos, eles cintilam."

— Oh, isto está ficando muito pessoal. Não sei se posso fazê-lo.

— Não estou sugerindo no primeiro encontro, Brian, mas em algum ponto o namoro fica pessoal.

— Eu sei — respondeu ele —, e aí está o meu problema.

— Você está aprendendo a vencer seu problema. Quando tiver outra namorada, já terão passado seis meses de experiência com seus pais e três com seus colegas de trabalho. Posso assegurar-lhe de que será capaz de dizer essas palavras quando chegar a hora.

Continuamos ampliando a nossa lista. Ela incluía o seguinte:

- *Gosto da maneira como você se relaciona com sua mãe. Você a trata com respeito, mas não deixa que controle sua vida.*
- *Obrigado por sair comigo esta noite. Adorei o tempo que estivemos juntos.*
- *Sua energia me deixa envergonhado. Preciso praticar mais antes de correr novamente com você.*
- *Sua torta de maçã estava deliciosa. Obrigado pelo trabalho que teve para prepará-la.*

Eu não tinha certeza do que Brian faria com seu caderno, mas percebi que tinha um plano para melhorar seus relacionamentos com as mulheres. Fiquei contente ao encontrá-lo um ano depois em outra conferência de solteiros. Muito animado, ele apresentou-me sua namorada, Linda. "Estamos namorando há cinco meses", disse, e "Linda é maravilhosa". Linda deu um grande sorriso. Era evidente que Brian aprendera a dizer palavras de afirmação.

BRIAN E OS PAIS

Brian e a mãe

Mais tarde, numa conversa particular, Brian contou-me suas experiências com os pais. A primeira vez que disse "amo você" para a mãe no final da conversa, ela respondeu: "Também amo você."

"Eu mal podia crer no que ouvia", contou-me. "Pensei que levaria dois meses antes que ela dissesse algo positivo. Depois disso, cada vez que dizia 'amo você' ela respondia 'Também amo você'. As coisas iam tão bem que adiantei a programação e depois de dois meses disse: 'Amo você e agradeço muito as coisas que fez por mim todos esses anos'. E ela respondeu: 'Brian, eu gostaria de ter feito muito mais por você, mas estava tão deprimida naqueles seus primeiros anos que acho que não lhe dei a atenção necessária'."

"Eu não sabia o que dizer e então falei: 'Olhe, valorizo o que você fez, mãe, e amo você.' Ao que ela respondeu: 'Amo você também'."

"Depois disso fiquei pensando: 'O que minha mãe fez por mim e o que valorizo realmente?' Fiz então uma lista e no fim de cada conversa telefônica eu lhe dizia uma coisa de que me lembrava que ela tinha feito por mim e quanto a apreciara. Antes de seis meses, minha mãe e eu estávamos tendo ótimas conversas. Ela me pediu que a perdoasse por não ter sido uma mãe melhor e eu lhe assegurei que ela fizera uma porção de coisas das quais eu gostara muito".

Brian e o pai

A história do relacionamento com o pai foi algo diferente. Da primeira vez que Brian disse: "Amo você", o pai respondeu: "O quê?", ao que Brian repetiu: "Amo você, pai". "Oh, está bem" disse ele.

A segunda vez em que Brian falou com o pai foi cerca de duas semanas depois. Ele repetiu as palavras "amo você" no final da conversa e o pai disse: "Certo, certo...".

Brian falava mais vezes com a mãe que com o pai porque era ela geralmente quem atendia o telefone. Só três meses mais tarde é que o pai de Brian finalmente disse: "Também amo você".

"Uma onda de emoção me envolveu quando desliguei o telefone", contou-me Brian. "Eu sabia mentalmente que meu pai me amava, mas nunca o ouvira pronunciar essas palavras. Foi incrível".

"Depois disso, cada vez que eu dizia *Amo você*, meu pai respondia 'Também amo você'. Quando acrescentei as palavras 'Agradeço o que fez por mim todos esses anos, meu pai disse Não foi o bastante'."

"Mas quero que saiba que gostei do que fez, pai, e amo você".

"Amo você também", respondeu o pai.

Brian explicou que passara a dizer ao pai como gostara de coisas específicas que fizera para ele.

"Em pouco tempo meu pai estava dizendo que lamentava não ter assistido mais a meus jogos de futebol e se envolvido mais em minha vida. Contou-me que estava aprendendo sobre o perdão na igreja e me perguntou se eu o perdoava. Minha resposta imediata foi: 'Claro, pai, você sabe que o perdôo'."

Num fim de semana na casa dos pais, Brian disse ao pai:

— Pai, estou contente com sua freqüência à igreja para aprender mais sobre Deus e a vida. Estou realmente orgulhoso de você por causa disso.

— Filho, eu estou orgulhoso de você. Não poderia imaginar ter um filho melhor que você.

Brian abraçou então o pai, que devolveu o abraço.

— Não sei se havia lágrimas nos olhos de meu pai, mas os meus estavam certamente marejados. Nosso relacionamento tem sido diferente desde então.

— Agradeço pelo tempo que passou comigo no ano passado, dr. Chapman — disse-me Brian. — Não tinha idéia de que faria tamanha diferença em minha vida. Estou indo devagar com Linda, mas posso garantir que tenho dito a ela palavras de afirmação. Quer ver meu caderno?

— Claro.

Ele abriu o caderno e mostrou quatro páginas de declarações afirmativas que fizera a Linda. Era evidente que Brian aprendera a dizer palavras de afirmação.

PRATICANDO OS DIALETOS DAS PALAVRAS DE AFIRMAÇÃO

Palavras de encorajamento

Palavras afirmativas são uma das cinco linguagens básicas do amor. Essa linguagem, porém, inclui muitos dialetos. Em minhas conversas com Brian, nos concentramos primeiro em *palavras de apreciação*, expressando gratidão sincera por algum ato de serviço prestado. Mas há também *palavras de encorajamento*. O termo *encorajar* significa "inspirar coragem". Todos temos nossas inseguranças. Falta-nos coragem, e essa falta no geral impede que realizemos as coisas positivas que gostaríamos de realizar.

O potencial latente em um colega de trabalho ou em seu companheiro de quarto pode estar à espera de suas palavras encorajadoras. É possível que alguém em seu círculo de amizades tenha expressado interesse em aprender a ser ator ou atriz. Se você achar que eles têm potencial (e quase todos temos), por que não encorajá-los a pôr em prática seu desejo? Diga-lhes que pode "vê-los fazendo isso". Se forem inexperientes, encoraje-os a assistir a uma aula numa escola local. Se já tiverem alguma experiência, encoraje-os a fazer um teste de audição para o teatro local. Muitas buscas de atividades nobres aguardam o encorajamento de um amigo.

Um amigo lhe diz "Preciso perder peso:" Qual sua reação? Você desconsidera o assunto, dizendo "Todos precisamos emagrecer"? Vai desanimar seu amigo, declarando: "Essa é uma das coisas mais difíceis do mundo" ou "Mesmo que perca peso, provavelmente acabará engordando outra vez". — Ou dirá palavras encorajadoras à pessoa, como "Se decidir fazer isso, sei que será bem-sucedido, porque é o tipo de pessoa que atinge suas metas."

Palavras de louvor

A seguir vem o *dialeto do louvor*, reconhecendo a realização de alguém. Em um grau mais alto ou mais baixo, todos somos empreendedores. Estabelecemos alvos para realizar determinadas coisas. Quando as alcançamos, sentimos necessidade de elogios. O mundo do teatro tem seus Oscars. O da música, seus Prêmios Dove, há também Prêmios de Música Country e Prêmios Grammy. Nos eventos atléticos são entregues troféus, e no mundo dos negócios são distribuídas placas. Quanto aos relacionamentos pessoais, palavras de louvor satisfazem a necessidade de reconhecimento.

Todos precisamos ocasionalmente de alguém que nos dê palmadinhas no ombro e diga: "Nossa! Isso é ótimo. Gostei mesmo. Você fez um grande trabalho!" Pense no que aconteceria no mundo se todos começássemos a elogiar uns aos outros pelas realizações em vez de salientar o que está errado.

O mundo dos solteiros está cheio de pessoas dignas de louvor. A mãe solteira que trabalha para sustentar a família e educar os filhos merece os maiores elogios. A pessoa que trabalha em meio ao sofrimento do divórcio e consegue ter uma atitude positiva de crença no futuro merece ser louvada. O solteiro que luta com uma doença temida e mantém uma atitude positiva, usando suas energias em buscas positivas, é digno de uma equipe de louvor. O solteiro que nunca se casou e que investe tempo e energia ajudando crianças carentes a atingirem alvos educacionais merece palavras de elogio. Em toda a nossa volta há pessoas que despendem diariamente energia em benefício de outras. Esses indivíduos precisam ouvir palavras de louvor.

Palavras bondosas

Outro dialeto das palavras de afirmação são as *palavras bondosas.* Isto não tem a ver só com o que dizemos, mas com a maneira como expressamos nossa opinião. A mesma sentença pode ter dois significados diferentes, dependendo de nosso modo de falar. A afirmação "amo você", quando dita com bondade e ternura, pode ser uma expressão genuína de amor. Mas se dissermos "Amo você?", o ponto de interrogação muda todo o significado dessas palavras.

Nossas palavras algumas vezes dizem uma coisa, mas o tom de voz está dizendo outra. Estamos enviando mensagens duplas. As pessoas geralmente interpretam a nossa mensagem com base no tom de voz, e não nas palavras que usamos.

Quando seu colega de quarto diz em tom de voz alterado: "Ficaria contentíssimo em lavar a louça esta noite," isso não será recebido como uma expressão de amor. Entretanto, podemos compartilhar mágoa, sofrimento e até ira de maneira bondosa, e isso será uma expressão de amor. "Fiquei desapontado porque você não se ofereceu para ajudar-me esta noite," dito de maneira honesta e bondosa pode ser uma expressão de amor. A pessoa que fala quer ser conhecida pela outra e está agindo para incutir autenticidade em seu relacionamento. As mesmas palavras ditas em voz alta, áspera, não serão uma expressão de amor, mas de condenação e julgamento.

A maneira como falamos é extremamente importante. Um sábio da antigüidade disse certa vez: "A resposta branda desvia o furor".[4] Quando seu colega de trabalho estiver zangado e proferindo palavras acaloradas, se você decidir mostrar amor, não irá responder da mesma forma, mas com voz suave. Vai receber o que ele está dizendo como informação sobre os sentimentos pessoais dele. Deixará que fale de sua mágoa, ira e percepção dos eventos. Vai procurar colocar-se na posição dele e ver o acontecido com seus olhos, expressando depois calma e bondosamente sua compreensão do motivo pelo qual ele se sente assim. Se você fez algo errado em relação a ele, esteja disposto a confessar o erro e pedir perdão. Se sua percepção for diferente da dele, poderá explicar com bondade seu ponto de vista. Buscará compreensão e reconciliação, sem o intuito de provar que sua percepção é a única maneira lógica de interpretar o que aconteceu. Esse é o tipo de amor maduro. O amor se expressa bondosamente.

ENFOCANDO O PERDÃO

Processar a mágoa e a ira de maneira positiva é essencial se tivermos de dizer palavras de afirmação. Nossas palavras são, tipicamente, um transbordar do que vai em nossos corações. Se não tivermos êxito em lidar com a mágoa e a ira, iremos provavelmente mostrar esses sentimentos, e nossas palavras serão destrutivas, em vez de amorosas.

Nenhum de nós é perfeito. Nem sempre fazemos o que é melhor ou mais correto. Fizemos e dissemos às vezes coisas que machucam os que nos rodeiam. Não podemos apagar o passado; só podemos confessá-lo e aceitar que cometemos um erro. Podemos pedir perdão e tentar agir de modo diferente no futuro. Depois de confessar minha falha e pedir desculpas, posso tentar reparar: "Existe algo que eu possa fazer para compensar o sofrimento que lhe causei?" é uma pergunta amorosa.

Quando fui prejudicado e a pessoa confessou e pediu perdão, posso decidir perdoar ou exigir justiça. Se escolher a justiça e o revide pelo que a pessoa fez comigo, estarei me posicionando como juiz, e a outra pessoa como réu. Se, porém, escolher perdoar, a reconciliação se torna uma possibilidade.

Muitos solteiros confundem cada novo dia com o de ontem. Eles insistem em introduzir no hoje os fracassos do dia anterior, e ao fazer isso estragam um dia potencialmente esplêndido. Quando a amargura, o ressentimento e a vingança têm entrada no coração humano, é impossível dizer palavras de afirmação. A melhor coisa que podemos fazer com as falhas do passado é deixar que sejam apenas história.

Aconteceu de verdade. Feriu com certeza. Pode estar ainda doendo. Mas ou a pessoa reconheceu sua falha e eu decidi perdoá-la, ou ela persiste no comportamento errado e decido entregar essa pessoa a Deus, sabendo que ele é um Deus de justiça assim como de misericórdia. Recuso-me a permitir que o comportamento alheio destrua minha vida hoje.

Entregar a pessoa não é perdão. Perdão é uma resposta à confissão. É antes libertar minha mágoa e minha ira, para que eu não seja consumido por elas. É escolher amar as pessoas apesar do mal que me fizeram. Isso não restaura o relacionamento, mas permite que eu viva em paz e amor no que se refere a outros.

Se alguém deseja amar outros, deve examinar cuidadosamente as palavras que pronuncia ao falar com colegas de trabalho, vizinhos, amigos íntimos, pais, ex-cônjuges, companheiros de quarto e o vendedor na loja local. O que eu digo e a maneira como digo irá influenciar o clima de meus relacionamentos. As palavras de afirmação acentuam os relacionamentos. Palavras ásperas, que condenam, destroem os relacionamentos.

Lembre-se de que o amor é uma escolha. Escolha amar outros.

Reflexões

1. Até que ponto você recebeu palavras de afirmação de seus pais?
2. Você acha fácil ou difícil dizer palavras de afirmação a seus pais? Por quê?
3. Se acha difícil, é o momento de tomar a iniciativa e dirigir palavras de afirmação a seus pais?
4. Até que ponto você se sente livre para pronunciar palavras de afirmação em seus outros relacionamentos?
5. Você gostaria de aprofundar um determinado relacionamento? Você acha que expressar palavras de afirmação seria significativo para essa pessoa?

4 • Linguagem do amor nº 2: Presentes

Fui visitar uma viúva que se mudara recentemente para uma casa de repouso. Durante nossa conversa perguntei se gostava das novas acomodações. — São um pouco apertadas — disse ela. — Tive de desfazer-me da maior parte da minha mobília.

— Meus filhos não queriam que eu trouxesse aquela cadeira de balanço — contou, apontando para uma cadeira no canto. — Mas o Marvin me deu essa cadeira e não consegui dispensá-la.

— O Marvin gostava de dar presentes?

— Não muito — respondeu. — De fato, esse é um dos poucos presentes que lembro que ele me deu. Quando tive nosso primeiro filho, ele comprou essa cadeira de balanço. Eu havia mencionado que seria ótimo ter uma cadeira dessas para amamentar o bebê, mas fiquei surpresa quando uma semana mais tarde ele entrou com a cadeira. Amamentei nossos dois filhos nela. Parece que é como se ainda guardasse um pouco de Marvin e das crianças comigo.

— Estou contente por tê-la guardado — disse eu. — Espero que possa mantê-la para sempre.

Nossa conversa mudou para outras coisas, e algum tempo depois despedi-me. Ao sair, olhei para a cadeira de balanço e senti que estava olhando para um presente que comunicou amor durante mais de quarenta anos. O presente sobrevivera ao doador.

O SIGNIFICADO DE UM PRESENTE

O presente certo

Um presente é um objeto tangível que comunica: "Estou pensando em você. Quero dar-lhe isto. Amo você."

Meu título acadêmico é antropologia — o estudo das culturas. Os antropólogos jamais descobriram uma cultura em que os presentes não sejam uma expressão de amor. Dar presentes é uma das linguagens fundamentais e universais do amor.

Alguns presentes duram apenas poucas horas. Muitas mães solteiras vão lembrar-se deste presente — uma rosa apanhada no quintal que lhe foi dada pelo filho. O presente acabou depressa, mas a lembrança durou anos. Outros presentes, como a cadeira de balanço, duram a vida inteira. O importante não é o presente, mas o amor emocional comunicado através dele. O presente certo é qualquer lembrança, grande ou pequena, que fale desse amor emocional.

O significado errado

O termo grego do qual obtemos a palavra *presente* em inglês é *charis*, que significa "graça" ou presente imerecido. O presente pela própria natureza não é um pagamento por serviços prestados. Quando um(a) namorado(a) diz: "Vou dar-lhe... se você", a pessoa não está oferecendo um presente, nem expressando amor. Está simplesmente fazendo uma transação. O presente é dado sem quaisquer condições, ou então deixa de ser presente.

O presente não é presente quando dado para alisar as penas encrespadas de alguém. Certas pessoas pensam que o fato de dar um presente vai apagar as palavras ásperas que pronunciaram. Alguns filhos são instruídos pelos pais: "Quando fizer algo errado, sempre lhe dê flores. As flores cobrem multidão de pecados." Depois de algum tempo, porém, as moças que recebem as flores sentem vontade de atirá-las no rosto do rapaz. O presente só é presente quando dado como expressão genuína de amor, e não como esforço para cobrir erros passados.

Os presentes são símbolos visuais do amor. Durante a maioria das cerimônias de casamento a noiva e o noivo dão e recebem alianças. A pessoa que realiza a cerimônia diz: "Estas alianças são sinais externos e visíveis de um laço interior e espiritual que une seus corações em um amor eterno."

No livro *As cinco linguagens do amor*, ressalto a importância dessas palavras que envolvem a aliança de casamento:

> Isso não é uma simples retórica. É a expressão de uma significante verdade — os símbolos possuem valores emocionais. Creio que isso pode ser bem exemplificado quando, perto da desintegração de um casamento, marido e mulher deixam de usar suas alianças. Esse é um sinal muito nítido de que o casamento está com sérios problemas. Certo esposo me disse o seguinte: "Quando ela atirou sua aliança contra

> mim e saiu cega de raiva batendo atrás de si a porta de casa, tornou-se evidente que nosso problema era seriíssimo. A aliança ficou no mesmo lugar onde foi jogada durante dois dias, porque eu não me abaixei para pegá-la. Quando finalmente a apanhei, caí em um pranto convulsivo."
>
> As alianças são um símbolo do que o casamento deveria ser. Porém, aquela colocada na palma de mão dele, e não no dedo dela, funcionava como um lembrete visual de que aquele casamento desmoronara.[1]

As alianças solitárias fizeram surgir no marido emoções profundas. Muitos indivíduos divorciados podem identificar-se com essas emoções.

O presente pode ser de qualquer tamanho, forma, cor ou preço. Pode ser comprado, encontrado ou feito. Para o indivíduo cuja principal linguagem do amor é receber presentes, o custo destes pouco importa. Se tiver condições, você pode comprar um lindo cartão com pouco dinheiro. Caso não possa, faça um cartão. Pegue papel na lata do lixo do escritório, dobre ao meio, recorte um coração e escreva: "Amo você", assinando seu nome. Os presentes não precisam ser caros.

DESENVOLVA A LINGUAGEM DE DAR PRESENTES

O que dizer da pessoa que fala: "Não sou de dar presentes. Não recebi muitos presentes enquanto crescia. Nunca aprendi como escolher presentes. Não faço isso com espontaneidade?" Parabéns, você acaba de fazer a primeira descoberta para tornar-se um grande amante. O amor requer esforço. No geral, ele requer o aprendizado de uma linguagem do amor que você nunca falou. Felizmente, dar presentes é uma das linguagens do amor mais fáceis de aprender.

Estude os interesses da pessoa

Onde começar? Ouça as pessoas de quem gosta. Veja quais são os interesses delas ou de seus filhos.

Algumas pessoas são colecionadoras. Encontrei há algum tempo uma senhora que havia colecionado mais de mil recipientes para sal e pimenta. A maioria deles ela ganhara de amigos que conheciam seu interesse. Bob tinha uma secretária que era mãe sozinha. Ele ouviu quando ela mencionou certo dia que seu filho de doze anos colecionava cartões de basquete. Pediu então a ela que descobrisse quais cartões ele gostaria de ganhar. Bob estava em viagem de negócios e encontrou uma loja de cartões perto de seu hotel. Em cinco minutos localizou um cartão de basquete em sua lista. Depois de entregá-lo à secretária para levar ao filho, ele comentou: "Parecia até que eu lhe havia dado um milhão de dólares de presente."

É preciso tempo e uma decisão consciente para ouvir alguém. Para a maioria de nós é também necessário fazer uma lista das idéias que ouvimos. Caso contrário vamos esquecer antes de encontrar o presente. Alguns gostam de presentes típicos, como os encontrados em certos restaurantes e lojas de presentes. Outros não querem saber de nada "típico". Se receberem um desses presentes, vão guardá-lo no armário ou no sótão. Se quiser que seus presentes comuniquem amor, é melhor descobrir os interesses da outra pessoa.

Bob e Mary estavam namorando havia dois meses. Ela notou que várias vezes quando comiam fora ele pedia torta de maçã como sobremesa. Certa noite ela perguntou: — Você gosta de torta de maçã?

— É minha favorita — respondeu ele. — Sempre gostei de torta de maçã.

Se Mary quiser comprar um presente para ele, ela tem agora uma pista excelente.

No fluxo da conversa em outra noite, Mary disse a Bob: "Desde que minha mãe ficou doente tento saber dela a cada dois dias. As contas telefônicas de longa distância realmente são muito altas."

Se Bob estiver escutando, ele saberá que um cartão telefônico pré-pago seria um ótimo presente para Mary.

As pessoas falam do que lhes interessa. Se ouvirmos com cuidado, percebemos diversos indícios de quais seriam os presentes apropriados para um indivíduo.

Seja sensível quanto à natureza de alguns presentes

Num relacionamento de namoro, você deve ser também sensível à maneira como seu parceiro responde aos presentes. Em vista do custo ou significado, certos tipos de presentes podem não ser facilmente aceitos pela pessoa amada. Numa conferência de solteiros nas montanhas da Carolina do Norte, Josh veio a mim depois de uma preleção sobre as cinco linguagens do amor com uma pergunta desconcertante: — Creio nas cinco linguagens do amor, mas e se você tenta falar uma dessas linguagens e sua namorada não quer aceitá-la?

— Pode dar-me um exemplo? — pedi.

— Olhe, namoro essa garota há três meses. Estou mesmo empolgado. Samantha é a pessoa mais maravilhosa que já encontrei. Eu queria que ela soubesse quanto gosto dela e comprei-lhe então um presente bem caro. Mas, quando o entreguei, ela disse: "Não posso aceitar. Não me sinto bem em recebê-lo". Fiquei arrasado.

— Continuo sem compreender — continuou ele. — Queria muito que ela aceitasse.

— Acho que sei o motivo de ela ter rejeitado o presente — repliquei. — Mas não tenho certeza de que vai querer ouvir.

— Claro que quero. Quero mesmo.

— Esta é a minha suposição. Acho que vocês dois têm uma percepção diferente quanto a seu relacionamento. É óbvio que você está muito interessado em Samantha. Disse que é a garota mais maravilhosa que já conheceu. O fato de comprar um presente assim tão caro para ela mostra como seus sentimentos são profundos.

Josh balançou afirmativamente a cabeça. Eu então continuei: — O problema é que Samantha considera o relacionamento de modo diferente. É claro que está interessada, caso contrário não estaria namorando você. Entretanto, não se envolveu tanto ainda. A seu ver, é muito cedo para aceitar presentes assim tão dispendiosos. Ela não quer que tenha uma impressão errada a seu respeito. Não acha que o relacionamento chegou a um ponto em que se sente confortável em receber esse presente como expressão de seu amor. Você deve, portanto, aceitar isso e respeitar os desejos dela.

Houve uma longa pausa e Josh disse então: — Tem razão. Eu não queria ouvir isso, mas você está certo. Eu a amo muito e queria fazer algo que a agradasse realmente. Mas acho que tenho de dar tempo a ela e esperar que venha a amar-me tanto quanto eu a amo.

Concordei com a cabeça e disse: — Daqui a seis meses, quando o Natal chegar, você deve fazer um teste antes de comprar o presente. Pode dizer algo assim: "Quero dar-lhe um presente de que goste no Natal, mas não quero surpreendê-la. Estaria disposta a aceitar _______ (cite o presente) como uma expressão do meu amor por você? Sem segundas intenções. Só quero que saiba que amo você." Se ela disser *sim*, você vai saber que o relacionamento amadureceu. Se disser *não*, é porque há problemas em seu namoro.

— Vou fazer isso — respondeu ele. — E espero que até lá ela aceite.

Josh aprendeu uma lição importante: Não se pode forçar ninguém a aceitar uma expressão de amor. Você pode oferecê-la. Se não for aceita, deve respeitar a decisão da outra pessoa.

PRESENTES E DINHEIRO

Se quiser tornar-se um presenteador eficaz, talvez tenha de mudar sua atitude com relação ao dinheiro. Cada um de nós tem uma percepção individualizada dos propósitos do dinheiro e possuímos várias emoções associadas com seu consumo. Se você tiver inclinação para gastar, ficará satisfeito consigo mesmo quando estiver gastando dinheiro. Se sua perspectiva for de poupar e investir, vai sentir-se bem quando estiver poupando dinheiro ou investindo-o sabiamente.

Suponhamos que você seja um poupador. Suas emoções vão resistir à idéia de gastar dinheiro como uma expressão de amor.

Não compro coisas para mim mesmo. Por que deveria comprá-las para outros? Essa atitude falha, porém, em entender a verdade — que você *está* comprando coisas para si mesmo. Ao poupar e investir dinheiro está comprando auto-estima e segurança emocional. Está cuidando de suas necessidades emocionais na maneira como lida com o dinheiro. Se descobrir que alguém que ama tem a linguagem principal do amor de receber presentes, você talvez compreenda que comprar e dar presentes para ele ou ela é o melhor investimento que pode fazer. Estará investindo em seu relacionamento e abastecendo o tanque emocional vazio da outra pessoa.

Amor, dinheiro e pais solteiros

Lembre-se de que o propósito de um presente é comunicar emocionalmente "Amo você, acho que este presente vai alegrar sua vida". Esta é uma lembrança extremamente importante para os pais solteiros. Não se deve dar presentes apenas porque a criança ou o adolescente os solicita. A pergunta a ser feita é: "Este presente vai ser bom a meu filho adolescente?"

Se a resposta for *não*, o pai não pode então em sã consciência dá-lo ao adolescente. Por exemplo, considere a prática comum da classe média, quando os pais são abastados, de dar um carro ao filho de dezoito anos. Não estou sugerindo que isto seja sempre errado para o adolescente. O que estou sugerindo é que os pais devem perguntar-se: "Um carro será um bom presente para o meu filho?".

Ao responder a essa pergunta, pese vários fatores. Um deles é o nível de maturidade e responsabilidade do jovem. Alguns deles não estão emocionalmente prontos para um carro aos dezoito anos. Alguns não demonstraram um nível suficiente de responsabilidade em outras áreas e não merecem receber o carro.

Um segundo fator é a capacidade financeira de um pai solteiro dar um carro ao filho. Endividar-se financeiramente para dar esse presente ao adolescente não será na verdade bom para ele.

Enquanto falo aos pais solteiros, quero dizer uma palavra aos que não têm a guarda do filho, geralmente o pai. Há um tipo de presente de que nenhum adolescente precisa. É o que chamo de presente falso. É o presente — muitas vezes presentes — destinado a ocupar o lugar do amor verdadeiro. Tais presentes são dados por pais ocupados e algumas vezes ausentes, envolvidos nos negócios da vida e com pouco tempo para falar as linguagens do amor: da afirmação e das três outras linguagens do amor: tempo de qualidade, atos de serviço e toque físico. Eles tentam então compensar essa falta dando presentes ao adolescente, algumas vezes presentes caros.

Uma mãe solteira declarou: "Cada vez que minha filha de dezesseis anos visita o pai, ela volta com uma mala cheia de presentes. Ele não se dispõe a me ajudar com as contas do médico e dentista dela, mas sempre tem dinheiro para presentes. É raro que telefone para ela e passa só duas semanas no verão na companhia da filha. Mas, de alguma forma, parece que, para ele, os presentes deveriam resolver tudo".

Este tipo de presentes por parte do pai que não tem a guarda dos filhos se tornou lugar-comum. O adolescente recebe os presentes, expressa apreciação verbal e vai para casa com o tanque emocional vazio. Quando os presentes vêm como substitutos do amor genuíno, o adolescente percebe que não passam de ilusão.

RECONHECENDO OS PRESENTES COMO A PRINCIPAL LINGUAGEM DE ALGUÉM

Para algumas pessoas, receber presentes é sua principal linguagem do amor. É o que as faz sentir-se mais profundamente amadas. Misty, que namorava Rob havia oito meses, mostrou-se muito vulnerável quando disse: "Quero que saiba que aniversários e feriados especiais são muito importantes para mim. Lembro-me de ter chorado durante dois dias quando meu pai esqueceu meu décimo sexto aniversário. Eu sabia que ele não amava minha mãe; por isso nos deixou. No meu aniversário descobri, porém, que ele também não me amava".

Se Rob estivesse atento, ele acabaria de descobrir que a linguagem principal do amor para Misty eram presentes. Se ele quiser que ela se sinta amada, não só vai lembrar-se dos aniversários e de outros feriados, como também lhe dará presentes em qualquer época do ano, sem razão especial, só para expressar seu amor.

O pai solteiro que pega uma pedra enquanto caminha pela trilha da montanha e a entrega a seu filho de dez anos vai descobri-la na gaveta dele quando tiver 23 se a linguagem de amor do menino for receber presentes. O presente disse: "Meu pai está pensando em mim". Cada vez que olhar a pedra, ele vai pensar no pai e sentir-se amado.

Os presentes não precisam ser caros; em última análise, "é o pensamento que conta". Quero lembrá-lo, no entanto, de que não é o pensamento em sua cabeça que conta, mas o presente produzido pelo pensamento que comunica o amor emocional.

OS URSINHOS DE BRIDGET

Chris estava namorando Bridget havia cerca de seis meses quando marcou uma consulta comigo. Foi muito direto sobre a razão da visita: — Bridget e eu estamos namorando há seis meses. As coisas vão muito bem entre nós. Gosto muito dela, mas há uma coisa que me preocupa. Ela tem pelo menos cinqüenta ursinhos em seu quarto. Metade deles em sua cama. Dorme com eles. Poderia compreender isso, se ela tivesse seis anos de idade, mas não agora com 26. Deu também nome aos ursinhos. É como se fossem seus filhos.

— Isto parece estranho para mim, e não sei como seria se nos casássemos. Não me agrada dormir com ursinhos. O que quero saber é se não estou entendendo alguma coisa ou este é um comportamento normal para uma moça de 26 anos.

Chris estava sorrindo e devolvi o sorriso, decidindo manter as coisas leves por um momento. Falei então: — Se por normal você quer dizer que todas as moças solteiras dessa idade dormem com um quarto cheio de ursinhos, a resposta é *não*. Algumas dormem com cães de verdade e outras ainda têm chinchilas em seus quartos. Conheço até uma garota que tem cobras, em gaiolas, mas não cobras no quarto.

Chris interrompeu: — Acho que não namoraria essa garota.

— Ambos rimos e depois eu dei um tom mais sério à conversa.

— O importante, Chris, não é o que a moça tem em seu quarto, mas o significado emocional dessas coisas para ela.

Pude ver os pontos de interrogação nos olhos de Chris.

— Isto é então mais sério do que pensei — disse ele.

— Não necessariamente. Quero fazer-lhe umas perguntas. Você mencionou que Bridget deu nome à maioria dos ursinhos. Você sabe de onde os ursinhos vieram?

— Grande parte deles foram presentes — respondeu. — Ela sabe quem deu cada um dos ursinhos e quando. Parece que seus pais lhe deram um em cada aniversário desde quando era criança. Isso inclui a metade deles. Alguns dos outros foram dados por tias e tios e alguns pelo seu irmão mais novo.

— Ela tem até dois que ganhou de antigos namorados. Esses francamente me irritam — disse Chris. Eu acenei concordando, porque era evidente que Chris tinha fortes sentimentos em relação àqueles dois ursos.

— Acho que sei o que está acontecendo — afirmei. — Mas não tenho certeza de que vai querer saber.

— É algo ruim?

— Não, na verdade é bom.

— Diga então.

Eu sabia que Chris estava ouvindo e prossegui.

— Parece que a principal linguagem do amor de Bridget são os presentes. Os presentes falam profundamente com ela.

— O que quer dizer com "linguagem do amor"? — perguntou Chris.

Passei então a explicar que há cinco linguagens básicas do amor, cinco maneiras de expressar amor emocionalmente, e cada um de nós tem uma linguagem principal de amor, que fala de amor mais profundamente conosco. Nenhuma é melhor do que a outra. Mas, se você quiser que a pessoa sinta-se genuinamente amada, tem de falar sua principal linguagem de amor. Discorri sobre as cinco, explicando cada uma brevemente, e depois perguntei a Chris: — Qual você pensa que é sua principal linguagem de amor? O que o faz sentir-se mais amado?

— Palavras de afirmação — respondeu rapidamente. — Talvez seja por isso que gosto tanto de Bridget. Ela está sempre me dizendo palavras de afirmação.

— Isso faz bastante sentido — disse eu. — O que estou sugerindo é que a linguagem principal do amor para Bridget são presentes. É por isso que se lembra de quem deu cada um dos ursinhos. É também por isso que deu nome a todos eles e os mantém em seu quarto. Cada urso diz "Amo você".

— Entendo, mas aqueles dois dos ex-namorados precisam desaparecer, concorda? Não quero namorá-la e ter dois outros sujeitos dizendo "Amo você" todas as noites. — Eu ri, mas pude ver que Chris falava sério.

— É verdade. Se seu namoro com Bridget se tornar um relacionamento duradouro, chegará a hora em que esses dois ursos terão de encontrar uma nova casa. Mas, se pretende continuar namorando Bridget, vai ter de apaixonar-se por ursinhos. De fato, já sabe agora o que dar a ela no primeiro aniversário de namoro ou no aniversário de nascimento dela.

— Insistir que se desfaça dos ursinhos é insistir que rejeite o amor da mãe, do pai, das tias e tios e do irmão mais moço. Seria o mesmo que pedir a você que usasse palavras depreciativas em relação a seus pais e às pessoas importantes em sua vida. Seria demais pedir isso. Você não quer se casar com uma moça que se volte contra o amor de seus pais e parentes. — Chris estava acenando como se tivesse compreendido, e eu continuei.

— Veja bem, Chris, ela não está realmente apegada aos ursinhos, mas ao amor que existe por trás deles. Seus pais poderiam perfeitamente ter-lhe dado coelhinhos empalhados ou sapos a cada ano.

— Nossa, estou contente por não terem dado cobras — disse Chris.

— Ursinhos são bem aceitáveis — respondi.

— Isso mesmo. Já estou começando a gostar de ursinhos — afirmou Chris sorrindo.

— Veja bem, não pense que estou dizendo para dar a ela um ursinho em cada aniversário. Um ursinho é provavelmente suficiente. Depois você pode variar, dando outros presentes. O que quero dizer é que presentes são muito importantes para Bridget. É a principal linguagem de amor dela. Um presente lhe diz: "Ele está pensando em mim. Ele me ama". É importante lembrar que os presentes não precisam ser de grande valor, mas uma rosa ou um tablete de chocolate falariam bem alto.

— Nunca fui de dar muitos presentes — disse Chris. — Presentes não são realmente importantes para mim.

— Vai ser necessário tempo e esforço até que aprenda a falar esta linguagem de amor, mas ela é essencial para você se quiser que seu relacionamento com Bridget floresça. Todos desabrochamos quando nos sentimos amados e murchamos quando não sentimos amor. A razão de Bridget ser tão positiva e animada diante da vida é que se sentiu amada pelas pessoas consideradas importantes em seus relacionamentos. Você não vai querer diminuir isso, mas aumentar.

No início da nossa conversa eu mencionei a Chris que estava escrevendo um livro sobre as cinco linguagens do amor para os solteiros. Ao deixar meu consultório, ele disse: — A propósito, quando terminar esse livro quero comprar o primeiro exemplar.

— Vou mandar um para você, mas não espere até que o livro seja publicado para começar a amar seus ursinhos.

— Pode estar certo de que serei o maior amante de ursinhos que já viu — respondeu ele ao partir com um sorriso.

Dois meses mais tarde conheci Bridget numa festa de Quatro de Julho. Chris apresentou-a e ela disse: — Quero agradecer pelo tempo que passou com Chris. Ele me contou o que você lhe disse e fez muito sentido para mim. Nunca tinha pensado nisso. Não tinha idéia de que minha primeira linguagem de amor são os presentes, mas é verdade. Ela levantou a mão e mostrou-a, dizendo: — Este é o anel de amizade que Chris me deu a semana passada.

— Que bom! — exclamei. — Chris aprendeu depressa.

— Não sei se sou rápido ou não — replicou Chris —, mas sei que amo Bridget e quero que ela se sinta amada.

FOGOS DE ARTIFÍCIO... E SINAL DE APROVAÇÃO

— E a Bridget, está falando sua linguagem de amor? — perguntei.

— Está sim! Ela me diz palavras de afirmação todo o tempo — respondeu Chris.

— Acho que tenho sorte — disse Bridget —, porque dizer palavras de afirmação é fácil para mim. Amo as pessoas. Acho que aprendi isso enquanto crescia. Meus pais sempre foram muito afirmativos.

— Talvez as palavras de afirmação sejam sua linguagem de amor secundária — disse a Bridget. — Você também gosta de receber palavras afirmativas?

— Gosto sim, e Chris sabe fazer isso muito bem.

— Prevejo um relacionamento longo e satisfatório para vocês dois — comentei, enquanto os fogos de artifício começavam a iluminar o céu.

Quando ia embora, Chris olhou por sobre o ombro e levantando dois dedos afirmou: — Dois dos ursinhos desapareceram! — Eu sorri e acenei.

Bridget ouviu as palavras dele, parou e voltou-se para mim. — Eu os dei ao Exército da Salvação. Espero que alguém mais venha a sentir-se amado ao recebê-los. — Fiz um sinal de aprovação para ela e eles se foram.

Chris e Bridget ilustram o tipo de conflitos que surgem nos relacionamentos de namoro quando os indivíduos não compreendem a linguagem do amor. Chris achou simplesmente estranho que uma moça de 26 anos tivesse o quarto cheio de ursinhos. Isso parecia anormal para ele. Todavia, quando compreendeu que receber presentes é uma das cinco linguagens principais do amor e que os ursinhos eram presentes dados por pessoas importantes na vida da namorada, tudo fez sentido para ele.

Não entenda, por favor, que eu esteja sugerindo que você só fale a principal linguagem de amor das pessoas de quem gosta. O amor pode ser expresso e recebido nas cinco linguagens. Todavia, se você não falar a principal linguagem de amor da pessoa, ela não se sentirá amada, mesmo se estiver falando as outras quatro. Uma vez que fale a principal linguagem de amor dela ou dele fluentemente, pode então aspergir as outras quatro e elas serão como o glacê no seu bolo. O que nos leva à terceira linguagem do amor.

Reflexões

1. Com que intensidade seus pais falaram com você por meio da linguagem de presentes? E um com o outro?
2. Até que ponto você presenteia as pessoas que ama e de quem gosta?
3. Qual o último presente que deu e a quem?
4. Você acha difícil falar a linguagem de amor dos presentes, ou isso é natural para você? Por quê?
5. Em sua conversa com outros, você ouve conscientemente as sugestões de presentes? Manter uma lista de presentes em seu computador seria útil para você?
6. Se você gosta de ser presenteado, de quem mais gostaria de receber um presente? Seria apropriado para você dar um presente a essa pessoa esta semana?

5 • Linguagem do amor nº 3: Atos de serviço

Sherry começou a trabalhar depois que seu marido abandonou a ela e a filha de quatro anos. Suas habilidades no computador não eram tão grandes como gostaria; ainda não são, mas ela está melhorando. Uma colega de trabalho tem facilitado sua adaptação no escritório.

"Gaye é tão boa", Sherry contou-me. "Sempre que tenho um problema com meu computador, ela está pronta a ajudar-me. É muito paciente quando custo a aprender. É uma pessoa formidável! Não sei o que faria sem ela".

Sherry tem um alto conceito de Gaye porque sua colega está falando a linguagem principal de amor para Sherry: atos de serviço.

Albert Einstein, um dos maiores cientistas de todos os tempos, é mais conhecido pela sua teoria da relatividade, que desenvolveu em 1905 quando tinha apenas 26 anos. Ele fez várias outras contribuições valiosas para a ciência. Em idade mais avançada, porém, conta-se que tirou da parede o retrato de dois cientistas: Maxwell e Newton, substituindo-os pelos de Schweitzer e Gandhi.

Quando interrogado pelos colegas, explicou: "Está na hora de remover os símbolos da ciência e substituí-los pelos símbolos do serviço".[1]

Einstein aparentemente havia chegado à conclusão de que o amor é mais poderoso que a ciência. Uma das linguagens fundamentais do amor é o serviço. Uma das expressões mais claras da essência da fé cristã é a de Jesus, seu fundador, lavando os pés dos discípulos. Numa cultura em que as pessoas usavam sandálias e andavam pelas ruas poeirentas, era costume que os servos da casa lavassem os pés dos hóspedes que chegavam. Jesus, que ensinara seus discípulos a amar uns aos outros, deu-lhes um exemplo de como expressar esse amor ao tomar uma bacia e uma toalha e lavar-lhes os pés. Depois dessa expressão simples de amor, ele encorajou os discípulos a seguirem seu exemplo.[2]

Em dias anteriores, Jesus havia indicado que em seu Reino os que quisessem ser grandes teriam de servir. Na maioria das sociedades os grandes dominam os pequenos, mas Jesus disse que os que querem ser grandes devem servir aos outros. O apóstolo Paulo resumiu essa filosofia quando disse: "Sede, antes, servos uns dos outros pelo amor".[3]

Na geração "eu primeiro", a idéia de serviço pode parecer anacrônica, mas a vida de serviço a outros sempre foi reconhecida como digna de imitação. Em toda área profissional, os que verdadeiramente se distinguem têm o desejo genuíno de servir outros. Os médicos mais notáveis consideram sua profissão um chamado para servir os doentes e os enfermos. Os políticos verdadeiramente grandes se consideram "servos do povo". O maior de todos os educadores vê os alunos como indivíduos e ganham suas maiores recompensas ao observar os estudantes atingirem seu potencial ao desenvolverem seus talentos e interesses. O serviço a outros é o cume mais alto que o homem pode escalar.

SERVIÇO *VERSUS* ESCRAVIDÃO

Quero esclarecer rapidamente a diferença entre serviço e escravidão. A escravidão está no cerne das famílias disfuncionais. Quando as pessoas servem outras pela força, perdem a liberdade de realmente servir. A escravidão endurece o coração. Cria ira, amargura e ressentimento.

Ouça o sofrimento emocional de uma solteira divorciada: "Eu o servi durante vinte anos. Cuidei dele em tudo. Fui seu capacho, enquanto ele me ignorava, maltratava e humilhava diante de meus amigos e minha família. Não o odeio, nem quero o mal dele, mas estou ressentida e não quero mais viver em sua companhia". Essa esposa desempenhou atos de serviço durante vinte anos, mas não foram expressões de amor, e, sim, atos resultantes do medo, da culpa e do ressentimento.

O capacho é um objeto inanimado. Você pode limpar os pés nele, pisá-lo, chutá-lo ou fazer o que quiser com ele. O capacho não tem vontade própria. Ele pode ser seu servo, mas não seu amante. Quando você trata outra pessoa como objeto, impede a possibilidade de amor. A manipulação por culpa ("Se você me amasse, faria isto por mim") não é uma linguagem de amor. A coação por medo ("Faça isso ou vai se arrepender") é estranha ao amor.

Ninguém jamais deveria ser capacho. Somos criaturas de emoção, pensamentos e desejos. Temos a capacidade de tomar decisões e agir. Permitir que outra pessoa nos use ou manipule não representa um ato de amor. É, na verdade, um ato de traição. Você está permitindo que a pessoa manipuladora desenvolva hábitos desumanos. O amor diz: "Amo você demais para permitir que me trate desse modo. Isso não é bom para você nem para mim". O amor se recusa a ser manipulado.

Sob outra perspectiva, o amor verdadeiro sempre encontra expressão em atos de serviço; serviço oferecido espontaneamente, não por medo, mas por escolha. Ele resulta da descoberta pessoal de que "é mais abençoado dar que receber".[4] Todos temos certas aptidões e habilidades. Elas podem ser usadas para expressar amor. Gaye usou então suas habilidades no campo da informática para expressar amor a Sherry.

OS MUITOS ATOS DE SERVIÇO

Atos de serviço não requerem, porém, habilidades técnicas especiais. Há alguns anos, minha esposa e eu abrimos nossa casa nas noites de sexta-feira para os jovens solteiros que haviam mudado recentemente para nossa cidade e visitado nossa igreja. Não era uma noite muito estruturada, mas um lugar onde os solteiros podiam fazer perguntas, encontrar pessoas e desenvolver relacionamentos. Depois de uma dessas noites, um jovem demorou-se mais e me disse: "Esses encontros são muito significativos e muito úteis. Eu gostaria de fazer alguma coisa para mostrar ao senhor e à sra. Chapman quanto aprecio que nos recebam em sua casa. Estou pensando se poderia vir uma noite desta semana e limpar o forno do seu fogão". (Isto aconteceu quando ainda não tínhamos um forno "auto limpante".)

Karolyn e eu havíamos feito esse serviço e eu sabia quanto ela o detestava e, para ser sincero, também não era o meu favorito. Disse então a ele sem hesitação: "Isso seria ótimo!".

Naquela semana ele veio e limpou o forno, enquanto Karolyn e eu levamos as crianças para uma noite de divertimento. Ao voltar, encontramos um forno cintilando de limpo.

Isso foi há mais de trinta anos. O jovem mudou-se de nossa comunidade nesse meio-tempo, mas nenhum de nós esqueceu seu nome e sua bondosa ação.

A vida está cheia de oportunidades para expressar amor mediante atos de serviço. Você vai com uma colega ao estacionamento e vê que o pneu do carro dela está furado. Um adulto solteiro mais velho precisa de uma carona até o consultório médico ou à igreja. Você tem um encontro à noite — por que não telefona antes e pergunta se ela precisa de pão ou de leite, que pode comprar no caminho? (Se pagar pela compra será tanto um presente como um ato de serviço.) Levar sua mãe idosa ao supermercado é um ato de serviço.

Alguns solteiros acham fácil esta linguagem de amor. Eles cresceram em lares onde foram ensinados que "os atos falam mais alto que as palavras". Foram elogiados quando serviram os membros da família, que quase sempre realizava projetos para servir os idosos. Eles acreditam que amar significa servir. Ficam, portanto, alertas para as oportunidades que os rodeiam.

UMA LINGUAGEM DIFÍCIL PARA ALGUNS

Outros solteiros vão achar esta linguagem de amor extremamente difícil. Sua família de origem enfatizava a independência de cada membro, cada um por si.

— Não espere que cuide de você — foi a mensagem que ouviram durante a infância. O foco de sua vida então é cuidar das próprias necessidades. Eles esperam que todos os outros façam o mesmo. *Por que devo fazer para outros o que eles podem fazer por si mesmos?*, pensam eles. "É claro que eu ajudaria uma velha senhora necessitada", dizem. Mas na verdade raramente fazem isso.

Se você estiver morando ou trabalhando com alguém com essa orientação, é melhor perguntar antes de prestar um ato de serviço a ele (ou ela). No caso de limpar o banheiro enquanto a pessoa está ausente, ela pode tomar isso como um insulto. Provavelmente o pensamento que lhe passará pela mente será: *Ela acha que eu não fiz meu serviço*. Para você é um ato de amor, mas para ela uma ofensa.

Assim, antes de servir alguém, é melhor perguntar: "Seria uma ajuda para você se eu fizesse...?". Seu propósito é na verdade melhorar a vida da pessoa ao expressar amor. Você não quer fazer algo que possa ser interpretado negativamente. Se a resposta for "Não, prefiro fazer eu mesma", não tome isso como rejeição pessoal. A pessoa está simplesmente informando que não quer receber essa linguagem de amor no momento.

Entretanto, se atos de serviço não são naturais para você, trata-se de uma linguagem que vale a pena adquirir. É um meio de expressar um sentimento de responsabilidade pelo bem-estar de outros. Albert Schweitzer disse várias vezes: "Enquanto houver um homem faminto, doente, solitário ou com medo no mundo, ele é minha responsabilidade".[5] Ajudar outros é universalmente aceito como uma expressão de amor.

O "SEXTA-FEIRA" DE MARTHA

Martha era uma dentre os vários adultos solteiros que assistiram a meu seminário sobre o casamento em Cleveland. Ela explicou: — Quero aprender mais sobre o casamento, porque se vier a me casar saberei o que fazer.

Eu gostaria que mais solteiros tivessem essa atitude antes do casamento. Depois do almoço ela pediu para falar comigo.

— Não quero tomar muito de seu tempo — afirmou —, mas tenho um problema. — Fiz um aceno e ela continuou.

— Estou namorando um homem há seis meses que é a pessoa mais maravilhosa do mundo, mas não tenho sentimentos românticos em relação a ele. Gostaria de tê-los porque ele é fora de série!

— O que faz você achar isso?

— É o homem mais agradável que já encontrei. Quero dizer, nunca homem algum fez tanto por mim.

— O que ele faz por você?

— Bem, tudo começou numa noite na igreja. Eu tinha participado de um encontro de solteiros e, quando estava para sair da igreja, vi que estava chovendo forte. Ele se aproximou com seu grande guarda-chuva e perguntou se podia levar-me até o carro. Eu não me lembrava de tê-lo visto antes, mas afirmou que estivera presente durante três semanas. Aceitei então a oferta e ele me levou até o carro, desejando boa-noite. Agradeci, ele fechou a porta e dirigiu-se para seu carro. Fiquei agradecida, mas não foi nada importante.

— Não pensei mais nele, até duas semanas depois, quando o notei no encontro. Depois ele me convidou para tomar um milkshake. Achei ótimo e aceitei. Fomos então até uma sorveteria do outro lado da rua. Fiquei sabendo que nunca se casara, era engenheiro eletricista e trabalhava para uma firma local, morava há dois anos em Cleveland, tendo sido transferido do leste. Gostei de conversar com ele. Quando íamos saindo, começou a chover de novo. Ele me pediu que esperasse um pouco até buscar seu carro e me daria carona até o meu. Não querendo molhar o cabelo, aceitei.

— Ele atravessou a rua e voltou logo com o carro, encontrou-me na porta com o guarda-chuva e me levou até meu carro. Estava ensopado. Quando fui para casa fiquei pensando que era um homem realmente agradável, mas não pensava em namorá-lo.

— Três semanas mais tarde encontrei-me outra vez com ele na reunião de solteiros. Mais cedo naquela tarde eu tivera problemas com o computador. Quando expliquei, ele disse que achava que poderia consertá-lo. Se eu quisesse, me seguiria até em casa e faria o conserto. Concordei. Descobriu o problema bem depressa, mas precisava de uma peça ou algo assim. Foi então até sua casa e cerca de 45 minutos depois voltou e consertou o computador em cinco minutos.

— Ofereci-lhe um refrigerante e conversamos um pouco sobre o computador. Disse-lhe quanto apreciava sua ajuda e ofereci-me para pagar o conserto. Ele recusou e disse que tinha prazer em ajudar-me.

Como o servo Sexta-Feira no livro *Robinson Crusoe*, o homem estava aparentemente sempre pronto para ajudar. Em outro encontro de solteiros, ele contou a Martha sobre um programa de computador que achava que seria útil para ela.

— Posso instalá-lo se quiser.

Depois de explicar o que o programa fazia, Martha concordou e convidou-o para fazer a instalação.

— Ele me mostrou como funcionava e percebi que ia ser mesmo um ótimo recurso — explicou Martha. — Ofereci-me outra vez para pagar e mostrei minha apreciação. Ele recusou o pagamento e disse que era um prazer ajudar-me.

— Para encurtar a história — disse ela (a essa altura fiquei contente por ouvir estas palavras) —, começamos a sair para comer fora uma vez por semana e ele passou a vir a minha casa e ajudar-me com vários consertos que eu precisava fazer. Ajeitou a porta do armário para que eu pudesse fechá-la. Colocou uma fechadura reforçada na porta de entrada. Ajudou-me a consertar duas janelas que haviam enguiçado. Mostrou-me como trocar o filtro na fornalha. Arrumou a torradeira quando ela deixou de funcionar.

— Esse homem é mesmo incrível! Quero que faça parte da minha vida para sempre, mas não tenho sentimentos românticos por ele e não me sinto atraída fisicamente. Não acho que devo casar-me com ele, mas gosto muito de tê-lo à minha volta.

— Você acha que ele tem sentimentos românticos por você?

— Não sei. Nunca falamos sobre isso. Ele não tentou beijar-me, não me rodeou com os braços e não ficamos de mãos dadas. É como se fosse uma boa amizade. Eu quero, porém, namorar outras pessoas, ninguém em particular, mas alguém. Quero envolver-me romanticamente com alguém e não sei se isto pode acontecer enquanto estiver me encontrando com ele. Não quero também magoá-lo. Ele tem sido tão bondoso comigo. Não sei o que fazer.

O PAI DE MARTHA

Senti que Martha estava querendo a sabedoria de Salomão. Como eu não era Salomão, continuei fazendo perguntas.

— Vamos mudar um pouco de assunto, está bem? — disse a ela. Martha concordou e eu prossegui: — Quando você estava crescendo, seu pai era o faz-tudo em sua casa?

— Era. Ele fazia toda a pintura, todos os consertos. Se alguma coisa não funcionava, meu pai sabia consertá-la. De fato, ele consertava as coisas para a vizinhança inteira. Quando ganhei meu primeiro carro, na adolescência, parecia que a cada semana alguma coisa quebrava, mas meu pai sempre conseguia consertá-la. Quando fui para a faculdade, houve um problema de eletricidade em meu dormitório. Tentei conseguir que a manutenção resolvesse, mas como não responderam, meu pai acabou consertando.

— Como você descreveria seu relacionamento com seu pai?

— Oh, meu pai e eu sempre fomos amigos. Fui muito feliz por ter um pai que me amava realmente.

— Como você sabe que ele amava você?

— Como já disse, por todas as coisas que fazia para mim. Quero dizer, estava sempre pronto quando necessitava dele.

— Você vê semelhanças entre seu pai e o homem que está namorando?

Martha refletiu um pouco e depois respondeu: — Sim, vejo, agora que mencionou isso. Mark está na verdade fazendo todas as coisas que meu pai costumava fazer. Ele é um homem bom como meu pai. Mas não quero casar com meu pai — disse. Ela estava agora sorrindo e enxugando uma lágrima ao mesmo tempo.

— Acho que posso explicar o que está acontecendo — disse eu. — Você lembra da minha palestra antes do almoço sobre as cinco linguagens do amor?

— Lembro. Achei muito criteriosa.

— Penso que sua principal linguagem do amor são os atos de serviço. Você se sentiu amada por seu pai porque ele falou sua linguagem de amor.

Martha concordou. — E você se sente amada por Mark porque ele está falando sua linguagem principal de amor.

— Mas e os sentimentos românticos? — perguntou ela.

— Vou falar disso, mas primeiro quero que compreenda por que se sente tão próxima de Mark, por que valoriza a amizade dele e por que acha que é uma pessoa maravilhosa.

— Quando alguém fala a nossa linguagem principal do amor, somos atraídas emocionalmente para ele. Temos uma alta consideração por ele. Queremos fazer algo que melhore sua vida e retribua seu amor por nós. Foi por isso que você provavelmente começou a namorar Mark. Seus atos de bondade com você estimularam o desejo de fazer algo bom para ele. Portanto, embora não tivesse sentimentos românticos por ele e nem se sentisse fisicamente atraída, isso pareceu mesmo assim a coisa natural a fazer. Vocês agora desenvolveram uma amizade sincera e você não quer magoar Mark. Todavia, ainda deseja ter um relacionamento romântico com alguém e está então presa no meio do caminho.

SUGESTÕES PARA MARTHA

— É exatamente onde estou. O que devo fazer?

— Não posso dizer-lhe o que fazer, mas posso dar-lhe algumas idéias que poderão ajudá-la a decidir o que deve fazer.

— Em primeiro lugar deve dizer a verdade a si mesma. Está dizendo a verdade para mim hoje, mas é necessário que a diga a você mesma. A verdade é que sua amizade com Mark é muito importante porque ele está falando sua principal linguagem do amor. Mas não se trata de um relacionamento romântico que possa levar ao casamento. Existe, no entanto, a possibilidade muito real de que, ao entrar num relacionamento romântico com outra pessoa, essa amizade diminua e talvez desapareça.

Martha concordou com a minha conclusão e eu continuei.

— A segunda idéia é esta... — Compreendi que no estado emocional de Martha ela talvez não viesse a lembrar de nada do que eu estava para dizer e perguntei então: — Você gostaria de pôr no papel essas idéias? — e entreguei-lhe minha caneta. — Gostaria sim — respondeu ela, procurando papel na bolsa.

— A segunda idéia — repeti — é descobrir o que Mark sente. Quais os sentimentos dele sobre o relacionamento com você? Tem sentimentos românticos a seu respeito? Não é possível tomar uma decisão sensata sem esta informação.

— Como descobrir isso?

— A melhor maneira é perguntar a ele.

— Não posso chegar e perguntar a ele: "Você tem sentimentos românticos a meu respeito?".

— Não, mas pode dizer: Mark, tenho pensado sobre a nossa amizade e sinto que é necessário saber se temos as mesmas idéias. Vou ser sincera e compartilhar com você como eu vejo a nossa amizade e depois espero que faça o mesmo. Você acha que podemos ter esta conversa agora?

— Se ele concordar, você prossegue. Pode dizer algo assim: Em primeiro lugar, dou muito valor a nossa amizade. Espero que ela possa continuar. Você tem sido muito bom para mim e gosto realmente do tempo que passamos juntos, mas não considero nosso relacionamento romântico.

— Espere um pouco, deixe-me escrever isso — disse Martha, e eu repeti enquanto ela escrevia.

— Acho que você deve saber. A última coisa que quero é magoar você, mas penso que deve saber a verdade. Eu talvez esteja sendo tola ao falar sobre isto, mas quero ter certeza de que compreendemos um ao outro. Isso faz sentido? Ouça então cuidadosamente a reação de Mark; faça perguntas esclarecedoras para estar certa de que compreende em que ponto ele está e para onde vocês vão.

Continuei: — Se ele considerar o relacionamento da mesma forma que você, uma amizade não-romântica, podem então continuar a amizade, e ele lhe dará a liberdade de namorar outra pessoa. Se, por outro lado, tiver sentimentos românticos fortes a seu respeito, a idéia de namorar outra pessoa e manter a amizade com ele talvez seja impossível. Mas pelo menos ele vai saber os fatos e você poderá tomar sua decisão. Mark pode decidir terminar o relacionamento. Ou, se estiver gostando de você e souber que não tem ninguém em particular no momento, pode pedir para continuar o relacionamento até que você encontre alguém que queira namorar. Os dois concordarão que nesse momento Mark poderá optar por sair de sua vida. Se não tiver sentimentos românticos a seu respeito, ficará até feliz com a idéia de que você terá liberdade de iniciar um relacionamento assim com outra pessoa, embora continue sendo amiga dele, desde que isso não interfira com seus novos interesses.

Nosso tempo acabara. Estava na hora de iniciar outra sessão do seminário. Martha agradeceu-me e juntou-se a sua amiga pelo resto do dia. Quando o seminário terminou, Martha agradeceu novamente minha ajuda.

Acenei com a cabeça, aceitando sua apreciação pelo tempo que passamos juntos, e disse: — Só quero acrescentar uma coisa. Espero que a pessoa que venha a namorar e com quem venha eventualmente a casar-se fale a linguagem de amor dos atos de serviço. Se assim for, a vida será bem mais fácil para ele. Caso contrário, espero que você o ensine a falar essa linguagem antes de se casarem e que ele compreenda por que isso é tão importante.

— Oh, vou trazê-lo a um de seus seminários. Vou consertá-lo antes de nos casarmos — disse ela rindo antes de ir embora.

Nunca mais vi Martha depois daquele seminário, mas sei que ela reconheceu sua principal linguagem do amor e a importância dela para sua vida. A maioria dos solteiros, porém, não compreende por que as cinco linguagens do amor são tão importantes e que papel sua principal linguagem do amor tem antes do casamento. Eles entram no casamento na euforia da sua "paixão" obsessiva, pensando que vai durar para sempre. Ficam desiludidos quando descem das alturas e imaginam o que aconteceu com seu amor emocional. No entanto, quando aprendemos a falar a linguagem um do outro bem cedo no relacionamento, conseguimos manter mutuamente abastecidos os tanques do amor.

Reflexões

1. Seu pai falava a linguagem de amor mediante atos de serviço como o pai de Martha? E sua mãe?
2. Você presta espontaneamente atos de serviço a outros?
3. Que atos de serviço prestou a seus pais nos últimos três meses?
4. Que atos de serviço prestou a um amigo ou a alguém que esteja namorando?
5. Que atos de serviço outros prestaram a você recentemente?

6. Numa escala de 1 a 10, quanto amor você sente quando as pessoas lhe prestam atos de serviço?
7. Você está disposto a estabelecer o alvo de falar a linguagem de amor manifesta em atos de serviço pelo menos uma vez por semana a alguém de quem gosta?

6 • Linguagem do amor nº 4: Tempo de qualidade

Jennifer e Al estão namorando há seis meses. Al sente-se, porém, extremamente frustrado com o relacionamento.

— Gosto muito de Jennifer, acho que poderíamos nos dar muito bem. O problema é que ela nunca está disponível. Seu trabalho é tão exigente que não sobra tempo para mim. É cansativo ficar em casa enquanto ela faz outra viagem de negócios.

Al está revelando seu desejo de tempo de qualidade. O aspecto central dessa linguagem é ficar junto. Não quero dizer proximidade. Duas pessoas sentadas na mesma sala podem estar próximas, mas não estão necessariamente juntas. Ficar junto tem a ver com atenção concentrada. É dar a alguém toda sua atenção. Em nossa condição de seres humanos, temos o desejo fundamental de nos comunicar com outros. Podemos estar com pessoas o dia inteiro, mas nem sempre nos sentimos ligados a elas.

O médico Albert Schweitzer disse: "Embora estejamos tanto tempo juntos, estamos todos morrendo de solidão".[1]

O professor Leo Buscaglia afirma:

> Parece haver evidência cumulativa de que existe realmente uma necessidade inata desta intimidade, desta interação humana, deste amor. Tudo indica que, sem esses laços com outros seres humanos, um recém-nascido, por exemplo, pode regredir em seu desenvolvimento, perder a consciência, cair no idiotismo e morrer.[2]

O assassino em massa, Charles Manson, explorou esta necessidade de conexão. Ele disse em seu julgamento: "A maioria das pessoas no rancho que chamam de "a família" eram apenas pessoas que vocês não aceitariam, pessoas marginalizadas. Os pais os expulsaram e, portanto, fiz o melhor que podia levando-os para meu depósito de lixo.[3] Afirmo que Manson os "explorou" porque deu-lhes um sentimento de que alguém os aceitava e depois usou-os para seus propósitos tortuosos.

Quando tempo de qualidade é utilizado como meio de expressar amor genuíno, revela-se um comunicador emocional poderoso. A mãe solteira sentada no chão, jogando uma bola para o filho de dois anos, está dando a ele tempo de qualidade. Durante esse breve momento, não importa quanto dure, eles estão juntos. Se, porém, a mãe ficar falando ao telefone enquanto joga a bola, sua atenção se dilui. Ela não está mais concentrada na criança.

Tempo de qualidade não significa que tenhamos de passar o tempo olhando nos olhos um do outro. Talvez seja fazer algo juntos que ambos gostemos. A atividade específica é secundária, apenas um meio de criar o sentimento de conexão. O importante sobre uma mãe jogar bola com o filho de dois anos não é a atividade em si, mas as emoções criadas entre mãe e filho. Do mesmo modo, um casal de namorados jogando tênis juntos, se for realmente tempo de qualidade, o foco não será o jogo, mas o fato de estarem passando tempo juntos. O que acontece em nível emocional é o que importa. O fato de passarem tempo juntos para alcançar um alvo comum comunica que se importam um com o outro, que gostam de estar juntos.

Se, por outro lado, seu namorado expressou o desejo de aprender a jogar tênis com você e, por ser mais habilitada, você concordou em ensiná-lo, o foco está no aprimoramento das habilidades de seu parceiro. Isto pode ser uma expressão de amor, especialmente se seu amigo não estiver pagando pela lição, mas é a linguagem de amor conhecida como atos de serviço, e não tempo de qualidade. Você está provendo um determinado serviço, ensinando o parceiro a melhorar seu jogo de tênis. Ele pode sentir-se verdadeiramente amado com seus esforços, especialmente se sua principal linguagem de amor forem atos de serviço. Neste contexto, você poderia também falar a linguagem de amor de tempo de qualidade se depois da aula vocês sentarem para tomar um refrigerante e tiverem uma conversa de qualidade.

DIALETOS DO TEMPO DE QUALIDADE: CONVERSAS DE QUALIDADE

Assim como as palavras de afirmação, a linguagem de amor do tempo de qualidade possui também muitos dialetos. Um dos mais comuns é o da conversa de qualidade. Por conversa de qualidade quero dizer diálogos harmoniosos em que dois indivíduos compartilham experiências, pensamentos, sentimentos e desejos num contexto amigável e ininterrupto.

Ouvir...

A conversa de qualidade é muito diferente da linguagem de amor *palavras de afirmação*. As palavras de afirmação se concentram no que estamos dizendo, enquanto a conversa de qualidade enfoca no mesmo nível o que estamos ouvindo. Se eu estiver compartilhando meu amor por você mediante tempo de qualidade e vamos passar esse tempo conversando, isto significa que vou me concentrar em ouvir com simpatia o que você tem a dizer. Vou fazer perguntas, não de maneira insistente, mas com o desejo autêntico de compreender seus pensamentos, sentimentos e desejos.

Se eu investir trinta minutos nessa conversa com você, dei-lhe trinta minutos da minha vida. A conversa de qualidade comunica que me importo. Isto é especialmente verdadeiro se sua principal linguagem de amor é tempo de qualidade.

... e conversar

É claro que a comunicação envolve também a conversa. Alguns solteiros não desenvolveram as habilidades de comunicação necessárias para a conversa de qualidade. Susan estava quase no final da faixa dos vinte anos e me procurou por estar com problemas em seus relacionamentos de namoro. Seu namorado atual lhe dissera recentemente que achava que deviam seguir caminhos diferentes porque suas personalidades eram "muito diferentes".

"A maior queixa dele", disse ela, "é que eu não falo o suficiente. Sei que sou bastante tímida. Acho que isso remonta a minha infância. Em nossa casa, na opinião de meu pai, "As crianças devem ser vistas, e não ouvidas". Ele não tinha tempo para mim e meu irmão. Falávamos então pouco um com o outro. Minha mãe estava sempre ocupada, e meu irmão e eu não nos dávamos muito bem. Passei quase toda a infância sozinha. Não percebi que tinha um problema até que comecei a namorar. Robert é o quarto rapaz que rompeu comigo porque não falo o suficiente. Acho então que tenho mesmo um problema.

Eu sabia que Susan tinha um longo caminho a percorrer. O padrão de solidão que descrevera não seria vencido da noite para o dia. Como não morava em minha cidade, encorajei-a a procurar um conselheiro local e contar-lhe exatamente o que me contara. Assegurei-lhe que poderia aprender a se comunicar e, que se obtivesse aconselhamento, dentro de um ano experimentaria uma enorme diferença em seus padrões de comunicação.

O processo para Susan e outros como ela começa com aprender a entrar em contato com as próprias emoções, pensamentos e desejos; entrar em contato com suas experiências diárias. Depois devemos aprender a verbalizar tudo isso, primeiro para nós mesmos e depois para outros. É o processo de ressocialização, retroceder e substituir os padrões disfuncionais da infância por padrões saudáveis de comunicação. Não é fácil, mas necessário, caso devamos aprender a falar a linguagem do amor da conversa de qualidade.

DIALETOS DO TEMPO DE QUALIDADE: OUVIR COM QUALIDADE

Outros solteiros que falam com facilidade podem ter um problema igualmente difícil. São ouvintes extremamente fracos. Ouvem apenas o suficiente para entender o assunto em pauta e então passam a transmitir a você tudo o que pensam sobre o tema. Ou, se você lhes fala sobre um conflito pessoal, eles imediatamente respondem, dizendo o que deve fazer nessa situação. São propensos a analisar problemas e criar soluções. Não são, porém, propensos a ouvir com simpatia, a fim de compreender a outra pessoa. Grande número de solteiros se enquadra nessa categoria.

O medo de Elaine

Elaine estava divorciada havia cinco anos. Ela estivera profundamente envolvida na criação de seus dois filhos, mas encontrara agora Mike e, para usar suas palavras, *as coisas avançaram rapidamente.* — O problema — disse ela — é que estou começando a perceber que Mike se parece muito com meu ex-marido, e isto me dá medo.

— De que forma ele é como seu ex-marido? — perguntei.

— George, meu ex, era o que chamo de "conserta tudo". Ele tinha uma resposta para todos os problemas. Não importa o que eu apresentasse, ele podia dizer-me o que fazer a respeito. Se compartilhasse um conflito no escritório, ele imediatamente falava o que eu deveria dizer a meu supervisor. Se quisesse falar do mesmo assunto na noite seguinte, ele me perguntava se eu tinha falado com o supervisor. Se dissesse que não, respondia: "Não quero então falar sobre isso. Quando você fizer o que mandei, falamos outra vez no assunto".

— Era como se ele fosse o "homem-resposta". Eu precisava do apoio e encorajamento dele, e não de sua atitude de sabe-tudo.

— Agora que estou começando a gostar de Mike, percebo que ele tem a mesma tendência. Isso se aplica a todos os homens?

Pude ver que Elaine estava em dúvida se devia continuar seu relacionamento com Mike.

— Não — respondi —, nem todos os homens são como George e Mike, mas estou contente porque você está sendo honesta consigo sobre o que está percebendo em Mike. Há outros aspectos em seu relacionamento com ele que acha problemáticos?

— Não — replicou. — Ele é maravilhoso em todos os outros aspectos. Acho que é por isso que estou tão preocupada com esta faceta de nosso relacionamento. Sei como isso foi destrutivo em meu casamento anterior.

— Desde que você valoriza a relação, penso que vale a pena o esforço para ver se Mike aprende a tornar-se um ouvinte compreensivo, em vez de um homem-resposta.

Diretrizes para tornar-se um ouvinte compreensivo

Contei a Elaine que estaria dando uma aula em duas semanas sobre "O imenso poder do ouvido que ouve". Sugeri que ela e Mike participassem como um primeiro passo para tratar da questão.

Estas são algumas das idéias práticas que ensinei naquela aula. Seu propósito é fazer de você um ouvinte compreensivo:

1. *Mantenha contato visual quando estiver ouvindo alguém.* Isto impede que a mente se desvie e comunica que a pessoa tem toda sua atenção. Evite revirar os olhos em desgosto, fechá-los quando recebe um golpe baixo, olhar por cima da cabeça do interlocutor ou fitar os sapatos dele quando estiverem falando.

2. *Não se envolva em outras atividades enquanto estiver ouvindo alguém.* Lembre-se de que tempo de qualidade é dar a alguém atenção total. Se estiver vendo, lendo ou fazendo qualquer outra coisa em que estiver realmente interessado e não puder abandonar imediatamente, diga a verdade à pessoa. Uma abordagem positiva poderia ser: "Sei que quer falar comigo e estou muito interessado, mas quero dar-lhe toda a minha atenção e não posso fazer isso agora. Se me conceder dez minutos para terminar, vou sentar-me e escutá-lo". A maioria das pessoas vai respeitar tal pedido.

3. *Ouça os sentimentos.* Pergunte a si mesmo: *o que esta pessoa está sentindo?* Quando achar que tem a resposta, confirme. Por exemplo: "Parece que você está desapontado porque eu esqueci...". Isto dá à pessoa oportunidade para esclarecer seus sentimentos. Comunica também que você está ouvindo atentamente o que ela está dizendo.

4. *Observe a linguagem corporal.* Punhos fechados, mãos trêmulas, lágrimas, testa franzida e movimento dos olhos podem dar-lhe pistas sobre os sentimentos do indivíduo. A lingua-

gem corporal transmite às vezes uma mensagem enquanto as palavras falam outra. Peça explicações para certificar-se de que sabe o que a pessoa está realmente pensando e sentindo. Por exemplo, você pode dizer: "Notei que está chorando enquanto afirma que espera que ele nunca mais volte. Isso significa que você tem sentimentos ambivalentes: uma parte de você quer vê-lo e outra não quer vê-lo nunca mais?".

5. *Recuse-se a interromper.* A pesquisa indicou que na média os indivíduos ouvem por apenas dezessete segundos antes de interromper e introduzir as próprias idéias. Tais interrupções no geral detêm a conversa antes de ela começar. Neste ponto, seu objetivo não é defender-se ou corrigir a outra pessoa. É compreender os pensamentos, sentimentos e desejos dela. Quando interrompe cedo demais, talvez nunca venha a descobrir o que o interlocutor estava realmente tentando dizer.
6. *Faça perguntas que provoquem reflexão.* Quando achar que compreendeu o que a pessoa está dizendo, verifique confirmando a declaração (de acordo com o que compreendeu) na forma de pergunta: "O que ouvi você dizer é isto... Estou certo?" ou "Você está dizendo...". O fato de ouvir e refletir esclarece os mal-entendidos e permite que você confirme (ou corrija) sua percepção do que a outra pessoa está dizendo.
7. *Expresse compreensão.* A pessoa precisa saber que foi ouvida e compreendida. Suponhamos que Elaine discuta com Mike um problema no trabalho. Ele poderia dizer: "Parece que você acha que seu supervisor está tirando proveito de você e

que tem pouco apreço por sua dedicação ao trabalho. É isso que está sentindo?". Se Elaine responder "É exatamente isso", Mike pode mostrar em seguida sua compreensão: "Entendo como se sente. Se eu estivesse em seu lugar também me sentiria assim.

Ao expressar compreensão, Mike está reafirmando o sentimento de apreço pessoal de Elaine, tratando-a como alguém que possui sentimentos legítimos.

8. *Pergunte se existe algo útil que você possa fazer.* Note que você está perguntando, e não dizendo à pessoa o que deve fazer. Se Mike perguntar a Elaine "O que posso fazer por você?", ela poderia responder "Dê-me apenas um abraço". Ela não quer uma solução da parte dele, pois já sabe a resposta. Só quer sentir seu apoio. Entretanto, se ela disser "O que você acha que devo fazer?", então Mike fica livre para expressar suas idéias. Nunca dê conselhos até que tenha certeza de que a outra pessoa os quer.

É evidente que esse tipo de conversa de qualidade leva tempo e exige esforço. De fato, duas vezes mais tempo será gasto em ouvir que em falar. Os dividendos, porém, são enormes. A pessoa sente-se respeitada, compreendida e amada, que é o objetivo das conversas de qualidade.

Depois da aula, encontrei-me com Mike. Mais tarde tivemos quatro sessões de aconselhamento. Na última sessão, ele disse: "Dr. Chapman, quero agradecer-lhe por me ensinar a ser um ouvinte. Eu nem sequer sabia que tinha um problema até que fui a sua aula. Sempre pensei que estava ajudando as pessoas ao oferecer meus conselhos gratuitamente. Compreendo agora que, a menos que seja desejado, o conselho é visto como um esforço de controle. Sei que isto vai fazer diferença em meu relacionamento com Elaine e também em todos os demais relacionamentos". O que Mike aprendeu foi uma lição que muitos solteiros precisam aprender.

DIALETOS DE QUALIDADE: ATIVIDADES DE QUALIDADE

A linguagem básica de amor do tempo de qualidade tem outro dialeto: atividades de qualidade. Num evento recente de solteiros, pedi aos presentes que completassem a seguinte sentença: "Sinto-me mais amado e apreciado por __________ quando __________". Poderiam inserir o nome de qualquer pessoa: pais, companheiro de dormitório, colega de trabalho ou amigo.

Um rapaz de 27 anos inseriu o nome da namorada e completou a sentença como segue: "Sinto-me mais amado por Megan quando ela e eu fazemos coisas juntos, coisas que ambos gostamos de fazer. Conversamos mais quando estamos fazendo coisas. Eu nunca andara a cavalo até que a conheci, e ela nunca andara de barco. Sempre gostei de fazer coisas com outras pessoas. É tão gostoso namorar alguém que gosta de experimentar novas atividades juntos".

Este jovem estava revelando que sua linguagem principal de amor é tempo de qualidade, e o dialeto de que ele mais gosta são as atividades de qualidade. A ênfase se encontra em estar juntos, fazer coisas juntos, dar atenção total um ao outro.

As atividades de qualidade podem incluir qualquer coisa em que um ou ambos tenham interesse. A ênfase não está no que você está fazendo, mas no motivo pelo qual está fazendo. O propósito é experimentar algo juntos e depois pensar: "Ele se importa comigo; estava disposto a fazer algo de que gosto e agiu com uma atitude positiva." Isso é amor e, para alguns, é a voz mais alta do amor.

Participando dos interesses do outro

Rick cresceu ouvindo música *country* e baladas rurais. Ele nunca assistiu a um concerto, mas o rádio estava sempre ligado na estação de música *country*. Seu sonho era ir ao Grand Ole Opry.* Depois que terminou a escola secundária, ele se matriculou no colégio técnico local para formar-se como analista de sistemas. Foi ali que conheceu Jill. Ela se mudara recentemente de Detroit para a cidade dele. Jill nunca se interessara por música *country*, mas logo passou a gostar de Rick.

O pai de Jill era um fã obcecado de corridas de carro, e desde a infância ela freqüentara as corridas com ele. Quando teve coragem de convidar Rick para ir com ela e o pai a uma corrida, ficou contente por ele ter aceitado. Rick nunca fora a uma corrida de carros, embora tivesse assistido a várias na televisão.

Eu conhecia Rick havia algum tempo. Certo dia, logo depois de ter ido à corrida com Jill e o pai, eu o encontrei na mercea-

*Grand Ole Opry, *show* de música *country* que atrai milhares de pessoas nos Estados Unidos. (N. do T.)

ria. Ele me contou entusiasmado sobre a corrida, mas logo acrescentou: "A coisa mais importante sobre a corrida para mim foi estar com Jill". Vi o brilho em seus olhos e soube que estava caído por Jill.

Vários meses mais tarde, eles me procuraram para aconselhamento pré-conjugal. Uma das primeiras coisas que disseram antes de começar nossa sessão foi que no fim de semana anterior tinham ido ao Grand Ole Opry. Um grupo do colégio técnico decidira que aquele era um bom meio de celebrar o fim do ano escolar. Rick falou sobre as estrelas que vira, enquanto Jill disse: "A coisa mais importante para mim foi estar com Rick".

Rick e Jill estavam demonstrando um princípio fundamental. Quando uma atividade deve ser um meio de expressar amor, a coisa mais importante nunca será a atividade em si, mas estar com a outra pessoa. Fiquei satisfeito ao ver que eles estavam decididos a participar dos interesses um do outro, a fim de passar tempo juntos. Minha esperança era que esta expressão de amor não acabasse depois do casamento deles.

Lembranças para os anos vindouros

Um dos subprodutos das atividades de qualidade é que elas fornecem um banco de memória que podemos acessar nos anos futuros. Feliz o casal que se lembra de um passeio matutino na praia, da primavera em que plantaram as flores do jardim, da noite em que foram juntos a um jogo importante de futebol, da única vez em que esquiaram juntos e ele quebrou a perna, dos parques de diversão, dos concertos, das catedrais e, oh, sim, do medo de ficar debaixo da cascata depois de andar quatro quilômetros. Eles quase podem sentir a neblina enquanto lembram. Essas são memórias de amor, especialmente para a pessoa cuja linguagem principal de amor é tempo de qualidade e seu dialeto, atividades de qualidade.

Quer seja um relacionamento de namoro ou apenas uma amizade, tais atividades de qualidade nem sempre são fáceis de combinar. É necessário planejamento cuidadoso. Pode até exigir que você desista de algumas atividades individuais. Você talvez tenha de fazer algumas coisas das quais não goste exatamente, mas lhe dará o prazer de amar, de entrar no mundo da outra pessoa e de aprender a falar a linguagem de amor do tempo de qualidade.

Reflexões

1. Como você avaliaria o uso da linguagem de amor de tempo de qualidade de seus pais com você? E um com outro?
2. Você se sente estimulado quando passa tempo de qualidade com outros ou isso tende a esgotá-lo emocionalmente?
3. Com quem passou tempo de qualidade esta semana? O tempo em que estiveram juntos foi principalmente conversa de qualidade ou atividades de qualidade?

4. Seria bom você dar algum tempo de qualidade a um de seus pais ou a ambos esta semana, este mês? Se a resposta é afirmativa, por que não incluir isso em sua agenda agora?
5. Em seu círculo de amigos, quem parece estar pedindo tempo de qualidade? É um relacionamento que você gostaria de enfatizar? Se é, por que não abrir espaço para tempo de qualidade?

7 • Linguagem do amor nº 5: Toque físico

Quando éramos bebês, antes de sabermos engatinhar ou podermos comer alimento sólido, crescíamos no amor. Vários projetos na área de desenvolvimento infantil chegaram à mesma conclusão: as crianças que são carregadas, abraçadas e tocadas com ternura desenvolvem uma vida emocional mais sadia que as que são deixadas por longos períodos de tempo sem contato físico. O mesmo se aplica aos idosos. Visite casas de repouso e vai descobrir que os residentes que recebem toques de afirmação têm um espírito mais positivo e são mais saudáveis que os que não são tocados. O toque físico afirmativo, terno é uma linguagem de amor fundamental.

O que se aplica à criança e aos idosos é também aplicável aos adultos solteiros de todas as idades. Uma jovem solteira declarou: "É engraçado que ninguém hesite em agradar uma criancinha e dar tapinhas e abraçar um cão estranho; mas fico aqui sentada algumas vezes morrendo de vontade de que alguém me toque, e ninguém faz isso." Então, ela pediu desculpas por expor suas necessidades e concluiu: "Acredito que não queremos que as pessoas saibam que todos desejamos ser tocados por medo que nos interpretem mal. Ficamos então solitários e fisicamente isolados".[1] Tenho observado que milhares de adultos sozinhos podem identificar-se com os sentimentos dessa jovem.

O corpo foi feito para ser tocado. Um dos cinco sentidos, o toque, ao contrário dos outros quatro, não se limita a determinada área do corpo. Pequenos receptores táteis se encontram em todo ele. Quando esses receptores são tocados ou pressionados, os nervos levam impulsos ao cérebro; o cérebro, por sua vez, interpreta esses impulsos e percebemos se a coisa que nos tocou é quente ou fria, dura ou macia. Se causa dor ou prazer. Podemos também interpretá-la como um toque amoroso ou hostil.

Algumas partes do corpo são mais sensíveis que outras. As pontas dos dedos e do nariz são altamente sensíveis. Assim como a ponta da língua. Em contraste, a parte de trás dos ombros é a área menos sensível. A diferença é devida ao fato de que os pequenos receptores táteis não estão espalhados uniformemente pelo corpo, mas arranjados em grupos. Nosso propósito, porém, não é compreender a base neurológica do sentido do toque, mas sua importância psicológica.

O toque físico pode construir ou destruir um relacionamento. Ele pode comunicar ódio ou amor. Se a principal linguagem de amor do indivíduo é o toque físico, seus toques vão falar mais que as palavras "odeio" ou "amo você". Não faça uso dos toques e vai isolar e levantar dúvidas sobre seu amor. Um abraço terno comunica amor a qualquer criança, mas expressa muito mais amor para aquela cuja linguagem principal é o toque físico. O mesmo se aplica aos adultos solteiros. Quando você conversa com um amigo que se encontra deprimido e você reage tocando-lhe o ombro, está declarando em voz alta "Amo você". Eu me importo com você; não está sozinho.

Seu corpo representa o que você é. Tocar seu corpo é tocar você. Quando alguém se afasta de seu corpo, está se distanciando emocionalmente de você. Em nossa sociedade, cumprimentar alguém com as mãos é um meio de comunicar sinceridade e intimidade social com outro indivíduo. Quando, em raras ocasiões, a pessoa se recusa a cumprimentar outra, a mensagem é que alguma coisa não vai bem em seu relacionamento.

Um toque de amor pode tomar várias formas. Como os receptores de toque estão localizados em todo o corpo, tocar amorosamente outro indivíduo quase em qualquer ponto pode ser uma expressão de amor. Tenha em mente que nem todos os toques são iguais. Aprenda com a pessoa a quem está tocando o que ela considera um toque de amor.

TIPOS DE TOQUE

Apropriados e impróprios

Há maneiras apropriadas e impróprias de tocar os membros do sexo oposto em cada sociedade. A atenção recente dada ao assédio sexual na cultura do ocidente enfatizou o perigo de tocar um representante do sexo oposto de um modo considerado sexualmente impróprio. Este tipo de toque não só deixará de comunicar amor, como pode resultar em alguns países na prisão do indivíduo que tocou.

É claro que o abuso físico — infligir dano corporal em alguém — é também considerado impróprio. Entre adultos solteiros, a média geral da violência grave é quase cinco vezes mais alta para os casais que coabitam quando comparada com a dos casados.[2] (Vamos discutir a natureza e as reações certas para o abuso físico na seção "Abuso físico".)

Implícitos e explícitos

Os toques de amor podem ser implícitos e sutis, exigindo apenas um momento. Jenny às vezes coloca a mão no ombro da mãe enquanto põe chá em sua xícara. Outras vezes bate nas costas dela ao virar-se para sair. Em contraste, toques explícitos, como uma massagem nas costas ou nos pés, exigem toda sua atenção. Tais toques evidentemente tomam mais tempo, seja na própria ação seja em aumentar sua compreensão de como comunicar amor à outra pessoa. Se uma massagem nas costas comunica amor em voz alta a alguém que você ama, então o tempo, o dinheiro e a energia que gastar em aprender a tornar-se um bom massagista serão bem investidos.

Os toques de amor implícitos requerem pouco tempo, mas muita reflexão, especialmente se o toque físico não for sua principal linguagem de amor e se você não cresceu numa "família que se tocava". Como adulto, você pode transmitir amor a um pai ou irmão de maneira simples mas poderosa. Sentar-se perto de sua mãe ou de seu pai enquanto assistem ao seu programa favorito de televisão juntos pode comunicar seu amor em voz alta. Tocar um membro da família enquanto passa pelo lugar em que ele ou ela está sentado leva apenas um momento.

TOQUES SENSÍVEIS

Num momento de crise, nos abraçamos quase instintivamente. Por quê? Porque o toque físico é um comunicador poderoso de nosso amor. Numa época crítica, sentimos mais que nunca a necessidade de nos sentir amados. Nem sempre podemos mudar os acontecimentos, mas podemos sobreviver se nos sentirmos amados.

Os adultos solteiros não estão isentos das crises normais da vida. A morte dos pais é inevitável. Acidentes de carro aleijam e matam milhares a cada ano. A doença não respeita as pessoas. As decepções fazem parte da vida. A coisa mais importante que você pode fazer por um amigo num momento de crise é mostrar amor por ele. Se sua linguagem de amor principal for o toque físico, nada é mais importante que abraçá-lo enquanto chora. Suas palavras podem significar pouco, mas seu toque físico comunica que se importa. As crises oferecem uma oportunidade única para expressar amor. Seus toques ternos serão lembrados muito tempo depois de a crise ter passado. Sua falha em tocar talvez nunca seja esquecida.

Quantos adultos solteiros bem-sucedidos não dariam seu reino para receber um abraço sincero, terno, do pai? Um tapinha nas costas, um beijo no rosto, um toque terno no braço, ficar de mãos dadas e abraçar são todos dialetos da linguagem de amor do toque físico. Júlia revelou sua principal linguagem do amor quando disse: “Uma das coisas de que mais gosto na minha igreja é que as pessoas se abraçam. Quando saio do templo, meu tanque de amor está cheio. Posso atravessar uma semana difícil por saber que as pessoas de minha igreja me amam”.

Alguns adultos solteiros, no entanto, podem não responder positivamente ao toque físico. Quando você bate nas costas de um colega de trabalho e ele enrijece e se retrai, está comunicando que o toque físico não é sua principal linguagem de amor. No entanto, outra pessoa no mesmo ambiente pode sentir-se afirmada pela sua batidinha nas costas. O propósito do amor é acentuar o bem-estar da outra pessoa, e não satisfazer os próprios desejos. Portanto, aprender a falar a principal linguagem de amor do indivíduo é o meio mais eficaz de amar as pessoas.

O TOQUE FÍSICO E A SEXUALIDADE

Não podemos discutir o toque físico como uma linguagem emocional sem discutir também como interage com a sexualidade humana. É impossível falar também sobre o toque físico sem reconhecer como os costumes sexuais do século XXI influenciam nosso jeito de tocar. O adulto solteiro vive hoje em uma cultura que sofreu as conseqüências da revolução sexual iniciada há meio século.

Freud e a revolução sexual

Esta revolução teve origem nos escritos de Sigmund Freud, em princípios de 1900. Freud, o pai da psicanálise, enfatizou o efeito do comportamento sexual. Segundo ele, a plena e desinibida satisfação de todos os desejos instintivos cria saúde mental e felicidade. O conceito de sexualidade de Freud, embora largamente aceito, não foi validado pela pesquisa dos últimos cinqüenta anos.

Uma década antes de explodir a revolução sexual dos anos 1960, Erich Fromm, um estudioso de Freud, resolveu discordar. Em seu livro clássico *A arte de amar*, Fromm escreveu: "Os fatos clínicos óbvios demonstram que os homens — e mulheres — que dedicam a vida à satisfação sexual irrestrita não alcançam a felicidade e, em grande parte, sofrem de conflitos ou sintomas neuróticos. A completa satisfação de todas as necessidades instintivas não só não é base para a felicidade, como também não garante a sanidade".[3]

Pitirim Sorokin, um importante sociólogo de sua época, predisse que, se as idéias de Freud fossem aplicadas à sociedade, elas iriam destruir o significado da sexualidade humana.

> A sociedade obcecada pelo sexo quebra sem hesitar tanto a lei divina como a humana e pisa todos os valores. Como um tornado, ela deixa em seu caminho uma legião de cadáveres, uma multidão de vidas esfaceladas e uma quantidade incontável de sofrimento e escombros repulsivos de padrões descartados. Ela destrói a verdadeira liberdade do amor normal e, em lugar de enriquecer e enobrecer a paixão sexual, a reduz à simples cópula.[4]

O resultado da revolução

Os últimos quarenta anos de pesquisas documentaram perfeitamente a exatidão da profecia sociológica de Sorokin. Solteiros e casados estão adquirindo doenças transmissíveis em números sem precedentes. Glenn Stanton, um analista da pesquisa social, diz: "Com a grande divisão entre casamento e sexualidade, o sonho de uma vida sexual plena se esquiva mais das pessoas que em qualquer outra época da história da nossa nação". Sua conclusão é que a pesquisa indica "que o sexo não pode ser liberado, pelo contrário, deve ficar restrito ao seu domínio adequado e mais produtivo. Décadas de pesquisas mostram que este lugar é o casamento duradouro, monógamo".[5]

A idéia geralmente mantida de que a coabitação levará a um casamento mais sadio tem sido destruída por inúmeros projetos de pesquisas. Esses estudos, conduzidos em vários países ocidentais, inclusive Canadá, Suécia, Nova Zelândia e Estados Unidos, indicaram que o número de divórcios entre aqueles que coabitam antes do casamento é muito maior que entre os que não adotam essa prática. De fato, os índices são de 50 a 100 por cento mais elevados.[6]

O prof. Jan Stets, da Washington State University, um dos mais notáveis pesquisadores sobre o tema da coabitação, concluiu: "Os casais que coabitam em comparação com os casados têm relacionamentos menos sadios. Seus relacionamentos apresentam menor qualidade, menor estabilidade e alto nível de discórdia".[7]

A busca de relacionamentos sexuais significativos

Afirma-se popularmente que o sexo é uma necessidade biológica semelhante à sede. Se você tem sede, beba água. Se tem fome, alimente-se. Se tem desejo sexual, satisfaça-o. A profecia do professor Sorokin concretizou-se. O sexo foi reduzido à simples cópula. O fato é que nenhum de nós acredita realmente nisso. Podemos tomar água e comer em qualquer restaurante do país, mas fazer sexo quando quisermos, onde quisermos e com quem quisermos não satisfaz o anseio mais profundo da alma humana por um relacionamento sexual exclusivo.

Em uma enquete sexual recente da Universidade de Chicago, os pesquisadores descobriram que 95 por cento dos que coabitam e 99 por cento dos casados esperam que seu parceiro seja sexualmente fiel a eles.[8] Algo no âmago de nosso ser diz: "O sexo é um ato íntimo e só deve ser compartilhado com alguém com quem eu tenha um compromisso sério".

Quando nosso relacionamento sexual não é exclusivo, sentimo-nos violados. A realidade é que os homens casados têm muito mais probabilidade de ser fiéis às esposas que os que coabitam a seus parceiros domésticos. A pesquisa indica que o homem que coabita tem quatro vezes mais probabilidade de ser infiel que o casado, e a mulher que coabita tem oito vezes mais probabilidade de ser infiel a seu "amante" que a mulher casada.[9]

Há uma razão para que o cristianismo e a maioria das grandes religiões do mundo tenham a sexualidade humana em alto conceito. Não a consideram apenas um impulso biológico no mesmo nível da sede, mas um dom de Deus a ser completa e livremente expresso entre um homem e uma mulher mutuamente comprometidos pela aliança do casamento. Toda pesquisa sociológica, antropológica e psicológica dos últimos cinqüenta anos validou esta visão da sexualidade humana.

O adulto solteiro na sociedade contemporânea deve fazer a escolha entre Freud e os fatos: expressão sexual desenfreada ou reservar o intercurso para aquele com quem o indivíduo deseja adotar um compromisso de vida inteira. Não se trata de uma escolha fácil. Ela afeta a saúde física, o bem-estar emocional e a satisfação sexual durante alguns anos.

TOQUES APROPRIADOS — MESMO SEXO E SEXO OPOSTO

Depois de ter feito esta importante e necessária digressão sobre nosso estudo da linguagem de amor do toque físico, quero voltar agora e dizer que existem muitos dialetos de amor e afirmação em que podemos expressar a linguagem do toque físico aos membros do sexo oposto. Estes podem ocorrer num relacionamento de namoro, de amizade ou entre colegas de trabalho.

A linguagem de amor do toque físico pode ser também falada a membros do mesmo sexo. Tais expressões nada têm a ver com homossexualidade, mas são manifestações de amor e apreciação sinceros por um amigo, companheiro de quarto ou alguém que você acabou de encontrar num contexto social de negócios. A ênfase deste capítulo e desta linguagem de amor tem pouco a ver com sexualidade, mas tudo com expressar amor emocional a outros por meio do toque físico afirmativo.

APRENDENDO A TOCAR

Para alguns adultos solteiros, dar e receber amor via toque físico não será fácil. Suas vidas guardam cicatrizes de abuso físico ou sexual na infância ou adolescência. Para esses solteiros, o aconselhamento cristão oferece o meio mais eficaz de curar as memórias do abuso recebido no passado. Sem essa cura interior, esses solteiros terão grande dificuldade para formar relacionamentos duradouros e sadios.

Outros solteiros não foram traumatizados pelo abuso físico e sexual, mas simplesmente cresceram em famílias que não adotavam o "toque". Portanto, a idéia de toque físico lhes parece uma invasão do espaço pessoal, sendo emocionalmente desconfortável. Para esses solteiros, trata-se apenas de uma questão de aprender a falar uma nova linguagem de amor.

*"Não sou o tipo de pessoa que 'toca e sente' "**

Marti, uma moça solteira de 24 anos que nunca foi casada, confessou-me: "Não sou uma pessoa do tipo 'toca e sente'. Não gosto de abraços e certamente não abraço outros. Acho que fui criada assim. Em minha família nós nos amávamos, mas não nos tocávamos muito."

"O problema é que estou namorando um rapaz de quem gosto realmente, mas ele está se queixando porque não pareço interessada em beijar e abraçar. Não me importo de beijar quando estou realmente apaixonada, mas abraçá-lo toda vez que nos encontramos ou andar de mãos dadas em público não me parece natural."

Percebi que Marti ia precisar de uma longa curva de aprendizado, mas esperei que o desejo dela de continuar o relacionamento pudesse estimulá-la a aprender a falar a linguagem de amor do toque físico. Depois de ter explicado as cinco linguagens do amor e que cada pessoa tem uma linguagem principal, Marti exclamou: — Minha principal linguagem de amor definitivamente não é o toque físico.

*"Touchy-Feely" — Grupo de terapia que enfatiza a importância do toque mútuo. (N. do T.)

— Qual é então sua linguagem de amor? — perguntei.

— Penso que sejam as palavras de afirmação. Sinto-me realmente bem quando John diz que sou bonita ou faz algum comentário sobre uma roupa que eu estou usando. É talvez por isso que me sinto tão magoada quando ele se queixa porque não tomo a iniciativa de abraçar e beijar. Eu achava que ele estava dando demasiada ênfase a isso. Agora vejo que talvez o toque físico seja sua principal linguagem de amor.

Pude ver que Marti ia aprender depressa e disse: — Se o toque físico é a principal linguagem de amor de John, você gostaria de aprendê-la?

— Gostaria — disse ela —, mas não tenho certeza de que possa ser algum dia uma pessoa do tipo "toca e sente".

— Você não precisa mudar sua personalidade. Mas pode aprender a falar qualquer das cinco linguagens do amor e pode certamente aprender a do toque físico.

— Como?

— Tentando. As linguagens são aprendidas uma palavra de cada vez, ou, neste caso, um toque de cada vez. Por que não começa abraçando seus pais da próxima vez em que estiver com eles? — sugeri.

— Quer dizer, apenas me aproximar e abraçá-los?

— Sim. Você acha que pode fazer isso?

— Acho que sim, mas não sei como eles vão reagir.

Aprender fazendo

— Isso não importa — disse eu. — O que você está tentando fazer é aprender a falar a linguagem do toque físico, e só aprende fazendo. De fato, vou sugerir que toda vez em que encontrar seus pais nos próximos dois meses deve abraçá-los quando chegar e quando sair. Sabemos que o abraço não vai machucá-los e certamente vai ajudar você a sentir-se um pouco mais confortável falando a linguagem de amor do toque físico.

— Depois pode começar a voltar sua atenção para o John. Dar a mão para ele ao saírem do carro e caminharem até o *shopping* pode ser difícil da primeira vez, mas vai ser mais fácil da segunda. No final da noite, ao despedir-se, comece a dar um abraço e pelo menos um beijo no rosto dele. Quanto mais fizer isso, mais confortável se sentirá.

Marti parecia um pouco hesitante, mas disse: — Está bem, vou tentar e ver o que acontece.

Nossa conversa foi breve, mas esperei que a forte motivação de Marti em aprofundar o relacionamento com John a encorajasse a tentar minhas sugestões.

Da próxima vez em que encontrei Marti, ela disse: — Está funcionando e até melhorando o relacionamento com meus pais. Da primeira vez que abracei minha mãe, era como abraçar um poste. Agora ela está me abraçando de volta.

— E seu relacionamento com John?

— Cada vez melhor. Acho que ele realmente aprecia que eu tome a iniciativa de andar de mãos dadas, abraçar e beijar. E eu estou começando a me sentir mais confortável. John é um homem maravilhoso.

— Presumo que ele lhe dirige palavras de afirmação.

— Sim, e nada mais de queixas.

O lado bom das cinco linguagens do amor é que todas podem ser aprendidas. Desse modo, você tem condições de aprofundar seus relacionamentos aprendendo e falando a linguagem principal de amor da pessoa. Tornar-se fluente na linguagem de amor do toque físico requer também que você seja sensível aos desejos da outra pessoa. O tempo, o lugar e a maneira como você toca são de grande importância.

ESCOLHA DO MOMENTO ADEQUADO PARA OS TOQUES

A hora apropriada é em grande parte decidida pela atitude e pelo desejo da outra pessoa. Uma mãe solteira disse: "Sei quando meu filho quer ser tocado pelo modo como fecha a porta ao entrar em casa. Se ele bate a porta, não está com disposição para ser tocado. Se fecha delicadamente a porta, está dizendo: 'Estou pronto para um toque, mãe'." Outra mãe solteira declarou: "Sei quando minha filha não quer ser tocada pela distância que guarda de mim quando falamos. Se ela fica do outro lado da sala ao falar, já sei que não quer que a toque, mas quando se aproxima e fica perto de mim, é sinal de que está pronta para um toque de amor."

As pessoas quase sempre comunicam sua disposição de espírito por meio da linguagem corporal — quanto se aproximam de você ou se ficam de braços cruzados, por exemplo. Observar a linguagem corporal lhe mostrará o momento apropriado de tocar outros. É quase sempre impróprio tocar alguém quando ele ou ela estiver zangado(a). A ira é uma emoção que afasta as pessoas umas das outras. Se tentar abraçar alguém numa crise de ira, será quase sempre rejeitado. O toque físico nessas ocasiões pode parecer um esforço para controlar, agredindo a necessidade de independência do indivíduo, que se afasta então de seu toque.

Os toques são geralmente apropriados quando a pessoa é bem-sucedida em alguma coisa. É um meio de comemorar a vitória. Observa-se isto muitas vezes no campo de atletismo, mas funciona da mesma forma no escritório ou numa relação de namoro. Os períodos de fracasso, entretanto, são também adequados para expressar a linguagem de amor do toque físico. Quando alguém fica desanimado por não ter alcançado seu potencial, o toque físico pode comunicar amor e preocupação genuínos.

O CENÁRIO PARA ESSES TOQUES

O lugar apropriado para tocar é também importante. Estou falando aqui de cenário, e não de sexualidade. O garoto de dez anos aceitava com prazer o abraço da mãe depois de cada jogo de futebol. Ele corria para a mãe, onde quer que ela estivesse, e aguardava suas palavras positivas e seu toque de afirmação. Mas, aos dezesseis anos, quando o jogo da faculdade termina, ele não vai mais em busca da mãe e espera que ela não esteja procurando por ele. As mães e os pais solteiros procurarão lugares apropriados para tocar seus filhos adolescentes.

O mesmo acontece nos relacionamentos de namoro. Abraçar e beijar quando vocês dois estão sozinhos é muito diferente de fazê-lo num *shopping* lotado. O que é apropriado num lugar pode não ser em outro. O segredo é respeitar os desejos da pessoa que você está namorando. Forçar o toque físico em lugares onde não são confortáveis não é uma expressão de amor, mas de egoísmo. O que nos leva à maneira como o toque físico é expresso.

COMO TOCAR

Não estamos falando aqui apenas dos tipos de toque, mas da maneira como eles são feitos. Há vários modos de expressar afeto por meio do toque físico. Abraços, beijos, massagem nas costas, batidinhas ternas e luta de braço são maneiras apropriadas de falar a linguagem de amor do toque físico. Entretanto, o processo não é tão simples quanto parece. Nem todos gostam do mesmo tipo de toques. Alguns gostam de massagens nas costas e outros não. Cada indivíduo é único. Se você quiser ter sucesso nos relacionamentos, deve aprender não só a linguagem, mas o dialeto em que a outra pessoa recebe melhor o amor.

Se seu (sua) namorado(a) não gosta de carinho no ombro, seria um erro forçar tal toque, apenas porque você gosta de ser tocado assim. Não devemos forçar nossa linguagem de amor em outra pessoa; pelo contrário, devemos aprender a falar a linguagem de amor dela. Se a pessoa que estiver namorando disser: "Não gosto disso" em resposta aos seus esforços para tocá-la fisicamente, então recue e encontre outro método de toque físico. Insistir em continuar com esses toques é comunicar o oposto do amor. É dizer que você não é sensível às necessidades dela.

Não cometa o erro de crer que o toque que lhe dá prazer vai agradar também a outros. Todo o conceito das cinco linguagens do amor é aprender a falar a linguagem do *outro,* e não a sua. O que faz a outra pessoa sentir-se amada é o ponto-chave. Se o toque físico é sua principal linguagem de amor, você deve então descobrir os tipos específicos de toque que comunicam amor a ela. O processo de amar é complicado pelas preferências do indivíduo.

O clima emocional em que se dá o toque físico é evidentemente de extrema importância. Se você bate no ombro de alguém porque está frustrado com o comportamento dele, esse indivíduo não vai sentir-se amado. Entretanto, o mesmo toque num contexto diferente pode ser uma expressão genuína de amor.

TOQUE FÍSICO IMPRÓPRIO

Gostaria de não precisar escrever os próximos parágrafos. Gostaria de que os termos *abuso físico* e *abuso sexual* não fossem tão comuns em nossa sociedade. A realidade é que uma minoria significativa de solteiros sofre abuso nos relacionamentos de namoro, especialmente relacionamentos de coabitação (v. item "Tipo de toque"). Os casos mais dramáticos são os que assistimos nos noticiários noturnos, mas muitos solteiros sofrem em silêncio e algumas vezes os mais próximos deles não têm conhecimento do abuso.

Abuso físico

No livro *As cinco linguagens de amor dos adolescentes,* defini o abuso físico desta forma:

> Abusar fisicamente é causar dano ao corpo (batendo, atacando, chutando etc), com raiva. A palavra-chave é ira. Alguns pais de adolescentes nunca aprenderam a lidar com ela de uma maneira construtiva. Quando eles estão irritados com o comportamento do adolescente, as palavras agressivas são seguidas de violência física.

> Dar tapas, empurrar, sufocar, segurar, sacudir, são exemplos de comportamento abusivo para com os adolescentes. Quando isso ocorre, podemos ter certeza de que o tanque de amor do adolescente não está apenas vazio, mas também cheio de buracos. Palavras positivas e expressões de afeição física que vêm após essas demonstrações intempestivas de ira sempre soarão falsas para o adolescente. Seu coração não se recobra facilmente do abuso físico.[10]

Uma desculpa sincera e honesta não basta. O indivíduo que comete o abuso deve buscar ajuda para não continuar com esses padrões destrutivos e aprender habilidades positivas para administrar a ira. A ira explosiva não desaparece simplesmente com o passar do tempo. Se você estiver namorando alguém que comete abuso físico, sugiro que termine a relação e insista em que a pessoa procure aconselhamento para mudar suas atitudes. No caso de você não ter força suficiente para isso, sugiro então que faça aconselhamento pessoal e ganhe a firmeza emocional e o conhecimento necessários para proteger-se desses abusos mediante passos construtivos. Você não está servindo a causa do amor quando permite que tal comportamento abusivo continue.

Abuso sexual

Abusar sexualmente é tirar proveito do namoro para obter favores sexuais, a fim de satisfazer os próprios desejos sexuais. Quando alguém é forçado a praticar atos sexuais que não deseja, está sofrendo abuso sexual. Ele também pode ocorrer em outros cenários; algumas vezes no contexto do uso de drogas.

Alguns solteiros ficam tão desesperados para encontrar amor emocional que permitem ser tratados como objetos sexuais em vez de pessoas. Eu encorajaria novamente esses solteiros a buscar aconselhamento individual a fim de conseguir energia emocional e auto-estima para fazer cessar o comportamento abusivo. Qualquer comportamento sexual forçado é o oposto do amor. É, de fato, autogratificação.

O abuso sexual depois de um certo período de tempo gera amargura, ódio e no geral depressão. Essas emoções às vezes irrompem em comportamento violento.

O primeiro passo é reconhecer o erro de tal comportamento. O segundo é buscar aconselhamento profissional, contar o problema e começar o processo de cura. Um passo ousado como esse vai ser difícil, pode causar embaraço, terminar seu namoro e criar estresse emocional para você. Mas a falha em agir assim trará mais problemas no final.

A linguagem de amor do toque físico nunca usa força, mas busca sempre a hora, o lugar e a maneira apropriados para expressar o toque afirmativo. O toque físico é uma das linguagens fundamentais do amor e vale a pena o tempo, a energia e os esforços necessários para aprender a falar esta linguagem.

Reflexões

1. Quais os toques físicos que você considera afirmativos?
2. Que tipo de toques o deixa desconfortável?
3. Até que ponto seus pais falaram a linguagem de amor do toque físico com você? E um com o outro?

4. Em seu círculo de amigos, quem são os que "tocam"? As pessoas que tocam outras geralmente gostam de ser tocadas. De que forma você pode retribuir o amor delas?
5. Fazendo um retrospecto sobre o dia de hoje e o de ontem, que tipo de toque físico você deu a outros? Como eles responderam?
6. Se tocar é fácil para você, quem você encontrou que pareceu retrair-se do toque? Por que você acha que isto é verdade?

Na condição de estudante de antropologia, logo aprendi em minha carreira acadêmica que a linguagem é distintivamente humana. Uma das coisas que separam o homem do animal é sua habilidade para comunicar-se por meio de palavras. Os animais não ficam sentados ao redor de fogueiras e contam histórias de experiências passadas e desejos futuros. São as pessoas que fazem isso.

Outra descoberta minha foi que as linguagens são extremamente diversas. Lembro-me de ter estado num laboratório lingüístico, tentando registrar foneticamente os sons de uma linguagem que nunca ouvira. Apesar de ter registrado os sons, eles não fizeram sentido para mim. Não comunicaram nada, porque eu não compreendia o significado por trás das palavras.

Todos crescemos aprendendo a falar a linguagem da nossa cultura. Se você cresceu num ambiente multicultural, é possível que saiba falar várias línguas. Todavia, o idioma que aprendeu a falar primeiro, geralmente o de seus pais, será sua linguagem principal ou nativa. Esta foi algumas vezes chamada de "linguagem do coração". Sua linguagem nativa é aquela que você compreende melhor e com a qual comunica as coisas mais claramente. Você talvez fale fluentemente uma segunda linguagem ou até uma terceira, mas sempre terá predileção por sua língua nativa.

O mesmo se aplica quando falamos sobre as linguagens do amor. Dentre as cinco linguagens fundamentais, cada um tem uma linguagem principal de amor. É aquela que fala mais fundo conosco emocionalmente. Depois de ouvirem as cinco linguagens do amor — palavras de afirmação, presentes, atos de serviço, tempo de qualidade e toque físico — alguns solteiros reconhecem instantaneamente sua linguagem principal de amor. Sabem a linguagem que fala mais profundamente com eles no sentido emocional. Outros, por nunca terem pensado no amor sob este aspecto, ficarão incertos quanto a sua principal linguagem de amor.

MANEIRAS DE DESCOBRIR SUA PRINCIPAL LINGUAGEM DE AMOR

Há duas categorias de pessoas que lutam tipicamente para descobrir sua principal linguagem de amor. A primeira é composta de solteiros que sempre se sentiram amados, que receberam as cinco linguagens do amor de seus pais. Eles falam as cinco fluentemente, mas não têm certeza sobre qual delas fala mais profundamente com eles. A outra categoria é composta de solteiros que nunca se sentiram amados. Eles cresceram em famílias muito disfuncionais e nunca tiveram certeza do amor dos pais ou de outros adultos importantes em suas vidas. Não sabem qual linguagem os faria sentir-se amados porque não estão seguros do que significa sentir-se amado. Este capítulo tem o propósito de ajudar os solteiros que não estão certos quanto a sua principal linguagem de amor.

1. Observe seu comportamento

Como a pessoa descobre sua principal linguagem de amor? Vou sugerir que você comece observando seu comportamento. Como você costuma expressar amor e apreciação por outras pessoas? Se tem como hábito encorajar regularmente a si mesmo e a outras pessoas dizendo palavras de afirmação, então essa talvez seja sua principal linguagem de amor. Está fazendo por outros o que gostaria que fizessem por você. Se gosta de dar tapinhas nas costas, sacudir a mão das pessoas ou tocar no braço delas, sua linguagem de amor talvez seja o toque físico. Se dá constantemente presentes a outros em ocasiões especiais e também sem qualquer motivo, os presentes podem ser sua principal linguagem de amor. Se costuma tomar a iniciativa de combinar encontros de almoço ou jantar, ou convidar pessoas para ir a sua casa à noite, tempo de qualidade pode ser sua linguagem de amor. Se é o tipo de pessoa que não espera até que alguém peça, mas observa o que precisa ser feito e se apresenta para fazer a tarefa, então atos de serviço talvez sejam sua linguagem principal de amor.

Note que estou usando as palavras *talvez*, *provavelmente*, *pode*. A razão de não fazer uma afirmação categórica é porque minha pesquisa indicou que cerca de 25 por cento dos adultos falam tipicamente uma linguagem, mas querem receber outra. Por exemplo, Bill cresceu numa família em que o pai era muito amável com a mãe. Seu pai gostava de dar presentes e ensinou Bill desde a infância que "a maneira de expressar amor a sua mãe e sua irmã é dar presentes a elas". Quando começou a namorar, o pai lembrou-o: "Não esqueça de lhe dar flores". Para Bill, então, dar presentes faz parte de quem ele é. Ele dá presentes espontaneamente. Aprendeu a falar esta linguagem de amor com grande fluência, mas receber presentes não faz Bill sentir-se amado. Sua linguagem principal de amor é tempo de qualidade.

Por outro lado, para 75 por cento de nós, a linguagem que falamos com mais freqüência é a que desejamos. Amamos outros como desejaríamos ser amados.

2. Observe o que você pede a outros

Uma segunda abordagem é observar o que você pede a outros. Se você costuma pedir aos amigos que o ajudem com seus projetos, então atos de serviço pode ser sua linguagem de amor. Se costuma dizer aos amigos que vão viajar "Não esqueça de me trazer alguma coisa", sua linguagem de amor é provavelmente receber presentes. Se solicita a um amigo mais chegado que lhe faça uma massagem nas costas, ou diz sem constrangimento "Quer me dar um abraço?", então é provável que o toque físico seja sua principal linguagem de amor. Se você pede sempre aos amigos que façam compras em sua companhia, viajem com você ou jantem em sua casa, está pedindo tempo de qualidade. Se costuma dizer: "Isto está bom? Fiz o relatório como você queria? Você acha que fiz a coisa certa?", está pedindo palavras de afirmação.

Nossos pedidos tendem a indicar nossas necessidades emocionais. O fato de observar o que pede a outros poderá revelar claramente sua linguagem principal de amor.

3. Ouça suas queixas

Uma terceira abordagem é observar as coisas de que se queixa. Podem ser queixas que expressa verbalmente ou mágoas silenciosas que só existem em sua cabeça. Brad estava empregado havia cerca de seis meses depois de terminar a faculdade quando perguntei: — Como vão as coisas?

— Acho que bem. Parece que ninguém aprecia realmente o que faço e que aquilo que faço nunca é suficiente.

Por saber que ele tinha conhecimento das cinco linguagens do amor, eu disse: — Sua principal linguagem de amor são palavras de afirmação, não é?

Ele concordou com a cabeça enquanto respondia: — Isso mesmo. Acho até que é por isso que não estou muito satisfeito com meu trabalho. — Sua queixa revelava claramente qual era sua principal linguagem de amor.

Quando você se queixa de que seus amigos não têm mais tempo para você, sua linguagem de amor é provavelmente tempo de qualidade. Se se queixar de que só um amigo lhe deu um presente de aniversário, sua linguagem pode ser presentes. Se lamentar por não ter recebido um abraço gostoso nos últimos dois meses, o toque físico talvez seja sua linguagem. No caso de sua queixa ser que ninguém o ajuda e que esperam que faça tudo sozinho, então atos de serviço deve ser sua linguagem de amor.

Nossas queixas revelam as mágoas emocionais profundas. O oposto do que mais o magoa é provavelmente sua linguagem de amor. Se recebesse amor nessa linguagem, a mágoa desapareceria e você se sentiria apreciado.

Ao fazer essas três observações sobre si, você talvez descubra sua linguagem principal de amor. Se duas linguagens parecerem iguais a você, isto é, ambas lhe falam alto, então você talvez seja bilíngüe. Nesse caso, fica mais fácil para outras pessoas satisfazerem sua necessidade emocional. Elas têm então duas escolhas, e qualquer delas vai comunicar fortemente amor para você.

Fazendo perguntas importantes

Se você está namorando no momento, poderá usar também esse relacionamento para ajudá-lo a descobrir sua principal linguagem de amor. Pergunte e responda às seguintes questões: Do que mais gosto na pessoa que estou namorando? O que ela faz ou diz que me dá prazer em estar em sua companhia? Suas respostas lhe darão uma idéia de sua principal linguagem de amor. Outra abordagem seria perguntar a si mesmo: Qual o parceiro ideal para mim? Se eu pudesse ter o cônjuge perfeito, como ele seria? — Sua descrição de um parceiro perfeito deve dar-lhe uma idéia de sua principal linguagem de amor.

Se não estiver namorando no momento, pode perguntar: O que mais quero numa amizade? Complete a seguinte sentença: Um amigo ideal seria ________. Sua resposta provavelmente revelará sua principal linguagem de amor.

Usando o perfil da linguagem de amor

Você pode também querer usar o perfil da linguagem de amor que se encontra no apêndice. Esse perfil pede que escolha entre duas opções e registre sua resposta na coluna apropriada. Os resultados revelarão sua principal linguagem de amor.

COMO DESCOBRIR A LINGUAGEM DE AMOR DE OUTROS

Descobrir sua linguagem de amor ajuda você a compreender por que se sente mais amado e apreciado por certas pessoas que por outras. Mas e o outro lado da moeda? O amor é uma rua de duas mãos. Há satisfação não só em receber amor, mas em dar amor. Caso deseje ser alguém que ame eficazmente, você deve aprender como descobrir a principal linguagem de amor de outras pessoas.

Como fazer esta importante descoberta? Não é possível apenas aproximar-se da pessoa e perguntar: "Qual sua principal linguagem de amor?" A não ser, é claro, que ela tenha lido o livro e queira discuti-lo. Vamos supor que você quisesse saber a linguagem de amor de seus pais, irmãos, colegas de trabalho, amigos ou alguém com quem tenha um relacionamento amoroso.

Observe as expressões, queixas e pedidos deles

Vamos começar com o óbvio. Você pode usar as três abordagens sugeridas na primeira metade deste capítulo para descobrir sua linguagem de amor. Isso envolveria observar como eles expressam amor a outras pessoas. Se você observar seu pai realizando atos de serviço para sua mãe e para outros, então atos de serviço pode ser sua principal linguagem de amor.

Entretanto, se ele estiver sempre dando batidinhas nas costas das pessoas e receber você com um abraço cada vez que vai para casa, então sua linguagem de amor é provavelmente o toque físico. Se seu colega de trabalho disser palavras de afirmação e apreciação a outros, essa é então provavelmente sua linguagem de amor. Para muitas pessoas, isto é facilmente observável. No que se refere a outras, que não sabem expressar amor tão livremente, você pode ter mais dificuldade em vê-las manifestar amor.

Portanto, pode perguntar a si mesmo: "Do que eles se queixam com mais freqüência"? Caso seu companheiro de quarto diga periodicamente coisas como "Preciso de um pouco mais de ajuda" ou "Estou cansado de pegar do chão sua toalha molhada", a linguagem de amor dele pode ser atos de serviço. Se seu namorado disser com um pouco de frustração "Você nunca toma a iniciativa de beijar-me. Um beijinho no rosto já seria um bom começo", ele está revelando que o toque físico é sua principal linguagem de amor. Se sua namorada disser "Fiquei triste porque você não me mandou flores ou qualquer outra coisa em meu aniversário" e sua resposta for, "Levei você para jantar. Isso não conta?", ela pode replicar "Conta. E gostei muito. Mas queria algo como lembrança do dia." Ela está revelando a importância dos presentes.

A terceira abordagem seria notar o que eles pedem com mais freqüência. A mãe que pergunta "Você pode vir jantar aqui em casa no domingo?" está pedindo tempo de qualidade. O colega de trabalho que diz "Quando você for à conferência pode trazer algumas coisas "de graça" para mim?" está pedindo presentes. O amigo que fala "Vamos dar um passeio?" está querendo tempo de qualidade.

Desse modo, a observação do comportamento deles e o fato de ouvir suas queixas e pedidos podem mostrar-lhe a principal linguagem de amor de outros.

Faça perguntas

Há, porém, outros meios de descobrir a principal linguagem de amor de alguém. Uma das melhores formas é fazer perguntas. Se quiser saber o que acontece na mente de outra pessoa, faça perguntas. Elas devem ser bem escolhidas e expressar o desejo genuíno de obter informação.

Por exemplo, Margo disse à mãe: — Mamãe, tenho pensado em fazer algo especial para você. Gostaria de expressar-lhe minha alegria pela vida que você me deu. Quero fazer isso no dia de meu aniversário este ano. Pense nisso e na semana que vem diga-me o que gostaria que eu fizesse.

— Querida, você não precisa fazer nada para mim, sei que me ama.

— Espero que saiba mesmo — respondeu Margo —, mas quero fazer algo especial e peço então que pense nisso.

Na semana seguinte quando Margo foi ver a mãe, ela a encontrou lidando no jardim. Depois de terminar seu trabalho, a mãe lavou as mãos na mangueira e disse: "Tenho limonada fresca lá dentro." Enquanto caminhavam para a casa, Margo comentou como o jardim da mãe estava lindo.

"Choveu bastante este verão", disse a mãe.

A descoberta de Margo

Enquanto tomavam a limonada, Margo perguntou à mãe: — Você pensou no que lhe pedi a semana passada sobre meu aniversário?

— Pensei sim.

— O que gostaria então que eu fizesse? — Margo não estava porém preparada para a resposta da mãe.

— Eu talvez esteja pedindo muito, mas se você quer realmente fazer alguma coisa para mim que me deixe feliz, gostaria que passássemos um dia inteiro juntas, desde a manhã até a noite. Podemos fazer compras. Fazer um passeio no parque como costumávamos quando você era pequena. Podemos sair para almoçar, ou ficar em casa o dia inteiro. Não me importa o que façamos, gostaria de passar um dia inteiro com você como fazíamos quando estava crescendo. Não precisa ser no seu aniversário. Pode ser antes ou depois.

Margo respondeu com uma interrogação na voz: — Está bem, mãe, acho ótimo fazer isso. Mas está certa de que é realmente o que deseja?

— Tenho certeza — respondeu a mãe. — Não posso pensar em nada que me agrade mais que passar um dia com você.

Se a intenção de Margo era descobrir a linguagem de amor principal da mãe, tinha conseguido. Em voz alta e claramente a mãe falou: "Tempo de qualidade é a minha linguagem." E ela soube disso simplesmente perguntando à mãe que presente ela mais gostaria de receber.

Margo refletiu mais tarde sobre a conversa delas. Compreendeu que desde que se mudara para o centro da cidade, depois de formada, passara apenas frações de tempo com a mãe. Ia vê-la quase todas as semanas, mas no geral era uma visita de apenas quinze ou vinte minutos. Agora que pensava a respeito, lembrava dos comentários da mãe de tempos em tempos: "Você não pode ficar mais um pouco?" A lembrança desses comentários confirmou-lhe que tempo de qualidade era de fato a principal linguagem de amor da mãe.

A descoberta de Helen

Aos 56 anos, Helen ficara novamente solteira. Seu marido morrera num acidente de carro nove meses antes. Na tentativa de fazê-la sair de casa, uma amiga convidou-a para um encontro de solteiros onde eu falaria.

— Eu não queria realmente comparecer a esse encontro — ela contou-me mais tarde. — Não me sinto como um adulto solteiro. É como se estivesse ainda casada. Só que meu marido não está mais aqui. Fiquei, porém, contente de ter vindo. Nunca tinha ouvido falar das linguagens do amor. Acho que preciso aplicar isto em meu relacionamento com meu filho.

Helen tinha um filho, Brad, de 32 anos. Ele se casara logo depois de terminar a faculdade e se divorciara dois anos depois. Vivera sozinho desde então e só esporadicamente fazia contato com os pais. Todavia, desde a morte do pai, aparecera com mais freqüência, e Helen esperava que pudessem tornar-se mais íntimos.

— Acho que preciso saber qual é a linguagem de amor dele — afirmou ela. Sugeri que desse uma oportunidade a Brad para mostrar sua linguagem de amor, respondendo à seguinte declaração: "Desde que seu pai morreu, ficamos só nós dois. Você tem sido muito útil para mim neste período e eu gostaria de fazer algo para mostrar-lhe quanto aprecio sua atitude. O que posso fazer?".

Recebi mais tarde uma carta de Helen em que ela dizia: "Descobri finalmente a linguagem de amor de Brad. São claramente atos de serviço". A reação dele à pergunta inicial da mãe fora: 'Mãe, a melhor coisa que você poderia fazer por mim é pregar alguns botões em minhas camisas. Devo ter uma dúzia de camisas com botões faltando. Sei que você tem uma gaveta cheia de botões, talvez possa achar tempo para encontrar alguns que combinem com as camisas e as deixem em condição de uso novamente'."

"Uma dúzia acabou sendo quinze", disse Helen, "e também preguei botões em seis calças e quatro casacos. Há poucos dias ele me pediu que fosse a sua casa para mostrar-lhe como tirar manchas do tapete. Sinto como se Brad estivesse me deixando participar novamente de sua vida. Não quero ser invasiva, estou então apenas respondendo a pedidos específicos que ele me faz. Sinto, entretanto, que está apreciando minha ajuda. É como se estivesse falando a linguagem de amor dele.

OUTRA ABORDAGEM: TENTATIVAS

Outra abordagem que pode ajudar você a descobrir a principal linguagem de amor de alguém são as tentativas. Se você não sabe a linguagem principal da pessoa e não estiver próximo o suficiente para formular uma pergunta sincera, você deve então enfocar simplesmente um período de tempo, expressando uma das cinco linguagens de amor e observando como a pessoa reage.

Por exemplo, pode enfocar palavras positivas durante uma semana, tendo como alvo dizer pelo menos uma palavra afirmativa por dia para a pessoa. Na semana seguinte se concentre nos presentes e dê à pessoa uma ou duas pequenas provas de apreciação. Pode ser um vale-refeição para comer num restaurante a quilo, local que sabe que ela freqüenta ou uma foto que tirou dela na última reunião do escritório.

Na semana seguinte tente ter pelo menos uma conversa mais longa com a pessoa, falando assim a linguagem de amor do tempo de qualidade. Depois disso, na outra semana, procure encontrar algo que possa fazer para o indivíduo, quem sabe alguma coisa que ele mencionou que gostaria que alguém fizesse por ele. Na última semana dê-lhe toques afirmativos. Aqueles que seriam "apropriados", dependendo obviamente da natureza do relacionamento.

Na semana em que estiver falando a linguagem especial de amor da pessoa, você observará uma diferença na reação dela. Seus olhos vão brilhar, vai parecer mais apreciativa que o normal e pode até escrever-lhe um bilhete de agradecimento mostrando apreciação pelo que você disse ou fez.

É preciso tempo, esforço e reflexão para descobrir a linguagem principal de amor de outra pessoa. Mas se você quiser comunicar eficazmente seu amor e apreciação, será então um bom investimento de tempo. Aprender a falar a principal linguagem de amor de alguém é o segredo para comunicar-lhe em nível emocional que você se importa com seu bem-estar. No capítulo seguinte vamos discutir como esta informação pode melhorar os relacionamentos familiares.

Reflexões

1. Se você conhece sua principal linguagem de amor, como a descobriu? Se ainda não conhece, veja o perfil da linguagem de amor no fim deste livro.
2. Você conhece a principal linguagem de amor de seu pai, mãe, irmão, irmã? Se não conhece, na sua opinião qual seria a melhor abordagem para fazer esta descoberta?
3. Quem são seus dois melhores amigos? Você conhece a principal linguagem de amor deles? Se não, responda às seguintes perguntas:

    a. *Como ele/ela costuma expressar amor e apreciação por outros?*

    b. *O que pedem a você com mais freqüência?*

    c. *Do que se têm queixado ultimamente?*

    Se as respostas a essas perguntas não revelarem a linguagem de amor deles, você poderia fazer então a seguinte abordagem: "Dou muito valor à nossa amizade e quero que pense sobre nós e depois diga uma coisa que eu possa fazer para melhorar nosso relacionamento."

4. Faça uma lista das pessoas importantes na sua vida. Se souber qual a principal linguagem de amor delas, escreva-a ao lado do nome. Caso não saiba, usando então as idéias deste capítulo, planeje sua estratégia para descobri-las.

9 • A conexão familiar

Conheci Susan a bordo do MSS *Amsterdam*, ao atravessar a passagem do Alasca. Na noite anterior eu fizera uma palestra sobre as cinco linguagens do amor.

"Estive pensando no que você falou a noite passada", disse ela. "Suas palavras abriram meus olhos sobre o meu relacionamento com meu pai. Minha mãe morreu faz um ano e eu mudei para Chicago, a fim de ajudar meu pai, mas foi um ano muito difícil. Senti como se ele estivesse querendo me manipular e controlar minha vida. Agora sei que sua linguagem de amor são atos de serviço. Ele tem pedido amor da minha parte."

"Quando eu estava pronta para pintar minha casa, ele disse: *Vou até lá e seguro a escada para você*. Eu não queria isso. O trabalho levaria desse modo o dobro do tempo. Sei agora que ele estava expressando amor por mim, usando sua linguagem de amor. Isto me deu uma perspectiva completamente nova a respeito de meu pai."

Susan acabara de obter uma percepção importante com relação ao segredo das ligações familiares. O amor deve começar em casa, com maridos e mulheres amando uns aos outros e os pais amando os filhos. Neste contexto ideal, os filhos aprendem a receber e dar amor livremente. Todavia, muitos solteiros cresceram em lares menos do que ideais. Muitos pais nunca aprenderam como falar a principal linguagem de amor um do outro; nem aprenderam a falar a linguagem de amor dos filhos. Dessa forma, são muitos os solteiros que cresceram num lar onde sabiam intelectualmente que os pais os amavam, mas nem sempre se sentiam amados. Nos anos de adolescência, o relacionamento com os pais ficou tenso, e agora que são adultos eles não têm um elo íntimo com os pais.

O propósito deste capítulo é ajudar você a melhorar os relacionamentos com seus pais e irmãos. Você pode ter um relacionamento forte e positivo com sua família, ou pode estar em conflito, ou até afastado dela. Começar onde se encontra, compreendendo e aplicando os princípios que leu nos oito primeiros capítulos deste livro, pode melhorar grandemente os relacionamentos familiares.

AMANDO NOSSOS PAIS

Aprofundar ou restabelecer o relacionamento com os pais pode ter um impacto profundo sobre o bem-estar da pessoa. Um fato interessante é que um dos dez mandamentos fundamentais dados à antiga Israel foi "Honra teu pai e tua mãe, para que se prolonguem os teus dias na terra que o Senhor, teu Deus, te dá".[1] Este benefício de desenvolver um relacionamento positivo e amoroso com os pais é confirmado no Novo Testamento: "Honra a teu pai e a tua mãe (que é o primeiro mandamento com promessa), para que te vá bem, e sejas de longa vida sobre a terra".[2]

O amor deveria fluir idealmente do pai para o filho. Quando isto acontece e a criança sente-se genuinamente amada, é fácil para ela honrar seus pais. Entretanto, quando um adulto cresceu num lar em que não teve a sensação de ser amado, ou até sentiu-se abandonado, ou vítima de abuso, é muito mais difícil honrar os pais. Acredito que como adultos devemos ser responsáveis por aprofundar o relacionamento com nossos pais, especialmente se foram deficientes em satisfazer nossas necessidades. Ao agir assim, nada é mais importante que o amor. Ele rompe barreiras, salta muros e busca o bem-estar do outro.

O surpreendente sobre o amor é que ele não é escravo de nossas emoções. Podemos nos sentir magoados com nossos pais. Podemos nos sentir abandonados, desapontados, frustrados e até deprimidos, mas, mesmo assim expressar amor por eles. O amor não é uma emoção em si mesma, mas uma atitude com um comportamento apropriado. O amor é a atitude que diz: "Resolvi cuidar de seus interesses. Como posso ajudá-lo?" O amor reage então com um comportamento significativo, positivo.

O AMOR ESTIMULA UMA RESPOSTA

Este tipo de amor estimula emoções positivas. Dizemos, portanto: "Sinto-me amado por essa pessoa", o que significa que temos um sentimento emocional profundo de que ela se preocupa com nosso bem-estar. É este sentido de ser cuidado que provoca profunda satisfação na alma humana. Quando o indivíduo sente que é amado, a reação natural é honrar a pessoa que nos ama, tê-la em alta estima. Quando há amor mútuo e honra entre um pai e o filho adulto, ambos experimentam um estado positivo de saúde emocional, que, por sua vez, afeta positivamente a saúde física do indivíduo, resultando assim em vida mais longa.

Nenhum relacionamento com os pais é sem esperança. Enquanto há vida, há potencial para curar o passado e para estabelecer uma interação melhor no futuro. Se seu relacionamento com seus pais está aquém do ideal, nada pode ser melhor que você tomar a iniciativa de aprender a linguagem principal de amor deles e começar a usá-la regularmente. Por serem humanos, anseiam desesperadamente por amor. Quando você começa a dá-lo na linguagem de amor certa, eles começam a sentir seu amor e no geral retribuem.

Você pode então tomar a iniciativa de amar seus pais apesar de seus sentimentos negativos. E quando eles corresponderem suas expressões de amor, usando sua linguagem de amor, seus sentimentos negativos vão dissipar-se e você começará a sentir-se amado por eles. Não podemos garantir que haverá uma reciprocidade no amor. O que sabemos é que isso geralmente acontece, mesmo nos relacionamentos muito difíceis.

A HISTÓRIA DE JENNIFER

Em busca de sua mãe biológica

Jennifer, 34, é uma solteira que aprendeu as linguagens de amor de seus pais adotivos, George e Martha, e de sua mãe biológica, Christina — mas só depois de enfrentar conflitos com os três. O resultado é um relacionamento extremamente positivo e íntimo com os pais adotivos e um relacionamento amoroso com a mãe biológica.

Durante os primeiros treze anos da vida de Jennifer, George e Martha deram a ela um ambiente estável e amoroso. Todavia, aos quatorze anos, Jennifer começou a expressar o desejo de descobrir e conhecer sua mãe biológica. Os pais adotivos se opuseram fortemente a essa idéia. Eles sabiam que a mãe de Jennifer usava drogas quando ela nasceu e tivera vários parceiros sexuais. Não tinham razão para crer que fosse o tipo de pessoa que pudesse causar um impacto positivo na vida de Jennifer.

O raciocínio de Jennifer aos quatorze fora este: "Quero conhecer minha mãe. Se não gostar dela, não faz mal. Não somos obrigadas a ser amigas. Mas quero conhecê-la". George e Martha resistiam às súplicas de Jennifer porque pensavam sinceramente que isso não seria bom para ela.

Os dois anos seguintes foram marcados por conflitos freqüentes sobre este e outros assuntos. Aos dezesseis anos, Jennifer sentia que os pais adotivos não a amavam e tomou iniciativas para descobrir a mãe. Com a ajuda de uma colega de escola, Jennifer conseguiu localizar a mãe e entrou em contato com ela por telefone. A mãe ficou feliz por saber notícias dela e elas combinaram um encontro.

Almoçaram juntas várias vezes e estavam se relacionando positivamente, sem que os pais adotivos de Jennifer soubessem. Christina convidou Jennifer para visitá-la em seu apartamento para conhecer seu namorado. Ele foi amável, e Jennifer gostou dele.

O conflito e a preleção

Cerca de um ano depois, George e Martha descobriram o que estava acontecendo e reagiram asperamente.

— Não acredito que tenha feito isto conosco — disse Martha —, depois de tudo o que fizemos por você.

— Minha mãe não é uma mulher má e me ama — replicou Jennifer.

— Se ela ama tanto você, por que não vai morar com ela?

Martha mal podia acreditar em suas palavras. — Não quis dizer isso — acrescentou rapidamente. — Não precisa ir morar com ela. Ela não vai ser boa para você. — Martha começou a chorar descontroladamente e Jennifer saiu da sala.

Naquela noite ela ouviu uma longa preleção do pai, George, dizendo que só queriam o que era melhor para ela e que a amaram todos aqueles anos e continuavam a amá-la. Ele contou sobre o vício da mãe dela e o estilo de vida que costumava ter. — Foi por isso que não queríamos que a conhecesse — disse ele.

Jennifer escutou. Sua única resposta foi: — Eu sei que você me ama, papai, mas quero ficar em contato com minha mãe. Não quero magoar você, mas não posso afastar-me dela agora. — George saiu do quarto e Jennifer chorou.

Seu último ano na escola secundária foi perturbado, enquanto Jennifer tentava manter contato esporádico com Christina sem discutir o assunto com os pais. Ela entrou então na faculdade e a vida ficou bem mais fácil. Conseguiu manter contato com os pais e com a mãe. Se os pais perguntavam a respeito de ela encontrar-se com a mãe, simplesmente negava, e a mãe nunca fazia perguntas sobre os pais adotivos. Ela se sentia feliz em ter Jennifer como parte de sua vida.

No início do primeiro ano de Jennifer na faculdade, o namorado foi embora e a mãe dela entrou em depressão profunda. Durante esse período, a mãe voltou ao vício, e um ano mais tarde acabou num centro de reabilitação. Jennifer teve pouco contato com a mãe, exceto quando telefonava ocasionalmente para ela e quase sempre acabava em lágrimas. Jennifer também ficou deprimida e procurou aconselhamento. Durante as sessões ela conseguiu resolver seus sentimentos de abandono pela mãe e de ser controlada pelos pais.

Aprendendo sobre as linguagens do amor

Jennifer veio a reconhecer que a mãe biológica havia tomado a decisão mais sensata possível naquela época de sua vida e que seus pais adotivos estavam sinceramente pensando em seu melhor interesse quando tentaram impedi-la de entrar em contato com a mãe. Compreendeu intelectualmente o que acontecera, mas ainda continuava lutando com os sentimentos de abandono.

— Não tenho certeza de que alguém goste realmente de mim — disse ela ao conselheiro. — Sei intelectualmente que minha mãe e também meus pais adotivos me amam. Mas, emocionalmente, na maior parte do tempo não me sinto amada por ninguém.

Durante aquela sessão, o terapeuta deu-lhe uma cópia de *As cinco linguagens do amor*. — Este livro foi escrito originalmente para casais, ajudando-os a compreender como amar um ao outro — disse o conselheiro —, mas quero que o leia, porque acho que vai ajudá-la a compreender a dinâmica do amor.

Jennifer leu o livro e passou várias sessões discutindo-o com o conselheiro. Ela acabou compreendendo que sua linguagem principal de amor eram palavras de afirmação. Essa a razão de sentir-se tão atraída pela mãe quando fez contato com ela. A mãe disse uma porção de palavras de afirmação à filha. No entanto, foi por esse motivo que começou a sentir que os pais adotivos não a amavam, ao sentir a oposição deles à idéia de ela fazer contato com a mãe biológica aos quatorze anos. Depois disso, ouviu uma porção de palavras críticas, reprovadoras deles, até que fosse para a faculdade e as coisas começassem a melhorar, porque pensavam que ela não estava se encontrando com a mãe.

Um ano mais tarde, depois da formatura na faculdade e de arranjar emprego em sua cidade, Jennifer leu de novo o livro. Desta vez concentrou-se em descobrir a linguagem de amor dos pais. Lembrou-se dos longos abraços que a mãe costumava dar-lhe quando chegava em casa e de cada vez que saía. Lembrou-se também das vezes em que Christina estendia a mão e tocava seu braço. Jennifer nem sempre se sentia à vontade com aqueles abraços e toques, mas sabia agora que o toque físico era a principal linguagem de amor da mãe.

Ela concluiu que a linguagem de amor do pai eram palavras de afirmação. Ele sempre tentava dar um aspecto positivo às coisas. Ela nunca se sentira tão condenada pelo pai como pela mãe. Mesmo nas piores circunstâncias, o pai sempre dizia palavras de afirmação, embora elas no geral fossem negadas pela insistência dele em que não visse a mãe biológica. A linguagem de amor de Martha foi um pouco mais difícil de descobrir, mas Jennifer finalmente concluiu que eram atos de serviço.

Falando as linguagens de amor das famílias

Com esta informação, Jennifer passou a responder às três pessoas mais importantes da sua vida, falando as linguagens de amor delas a cada vez que as encontrava. Quando sabia que Martha ia receber visitas, assava biscoitos. Quando ia vê-la, sempre perguntava: "O que posso fazer para ajudar enquanto estou aqui?" Se a mãe adotiva não sugerisse algo, ela descobria algum serviço que pudesse fazer para agradá-la. Começou a afirmar verbalmente o pai, algumas vezes em particular e outras na presença da mãe. Tentou nunca ir embora sem dizer algo positivo a ele.

Quando estava com a mãe biológica, Christina, aceitava com alegria seu abraço e começou a tomar a iniciativa de colocar a mão nas costas da mãe ao passar por ela no sofá, a beijá-la no rosto depois de um abraço.

Os relacionamentos começaram a melhorar nas três frentes. Jennifer passou a receber palavras afirmativas e sentiu-se realmente ligada a Martha apesar dos termos cortantes que ficaram gravados em sua mente durante anos. "Se ela ama tanto você, por que não vai morar na casa dela?" Jennifer compreendeu que, pelo fato de sua linguagem de amor serem as palavras de afirmação, ela ficara profundamente ferida com o que ouvira, não conseguindo apagar da mente o episódio. Estava, porém, agora, ouvindo palavras de afirmação de Martha, e o registro daquela mensagem distante começava a desaparecer. Ela sabia que Martha a amava, e começava a sentir isso.

Numa ocasião posterior, Jennifer compartilhou sua história numa conferência nacional de solteiros. Ficou evidente para mim que a sensação de bem-estar de Jennifer melhorara muito ao desenvolver uma relação de amor com os três pais.

Nem todos têm o tipo de conflito que Jennifer encontrou com os pais. Muitos adultos solteiros enfrentam, porém, relacionamentos difíceis ou rompidos com os pais. A falta de sentir amor por parte dos pais os deixa com um vazio que não pode ser preenchido pelo sucesso acadêmico ou profissional. A mensagem deste capítulo é que não importa o que aconteça entre você e seus pais, se você tomar a iniciativa de descobrir a principal linguagem de amor deles e começar a expressá-la, o potencial de cura e reconciliação é real.

Por outro lado, você talvez já tenha um relacionamento forte e amoroso com seus pais. Nesse caso, ao descobrir a principal linguagem de amor deles, irá simplesmente aprofundar esse relacionamento.

APROXIMANDO-SE DOS IRMÃOS

Nem todos os solteiros têm irmãos e irmãs, mas um grande número deles tem. Como adultos solteiros, o relacionamento com os irmãos é quase sempre colorido com lembranças da infância e adolescência. A natureza da relação nos primeiros anos influencia o relacionamento como adultos. Esta influência pode ser positiva ou negativa. Se o relacionamento for positivo, só pode ser então aprofundado quando você descobrir a linguagem especial de amor de seus irmãos e usá-la regularmente. Se as influências negativas da infância subsistirem na idade adulta, então nada tem mais potencial para curar as mágoas do passado que expressar amor na principal linguagem de amor do irmão/irmã.

AS SARDAS DE BRENDA

Brenda era uma moça bonita de cabelos vermelhos e rosto sardento que me contou: — Quando eu estava crescendo, meu irmão, que é dois anos mais velho que eu, sempre me aborrecia por causa das sardas. Ele me deu o apelido de Sardenta e me apresentava aos amigos por esse nome. Eu não gostava, mas também não me importava muito. Só dizia: "Meu nome é Brenda", e deixava por isso mesmo.

Não me importava muito, mas...

— Não é muito importante, mas não gosto disso. Queria que me chamasse simplesmente de Brenda.

— Já disse isso a ele?

— Não, desde que estávamos na escola secundária. Mencionei o fato uma ou duas vezes, mas não adiantou. A não ser por isso, temos uma boa amizade.

— Você tem idéia de qual seja a principal linguagem de amor de seu irmão?

— Penso que é tempo de qualidade. Ele está sempre aparecendo para falar comigo, especialmente quando tem uma nova namorada. Quer minha opinião sobre como responder, o que dizer. Ele sabe que pode sempre ganhar uma xícara de chá e um sanduíche em minha casa. Faz uma visita e conversamos.

— Então, você sempre concede tempo a ele?

— Quase sempre. Algumas vezes tenho coisas a fazer e digo que fique à vontade em minha casa e que volto mais tarde. Ele tira uma soneca ou assiste à TV e conversamos na minha volta.

— Você acha que seu irmão se sente verdadeiramente amado por você?

— Espero que sim. Deve sentir meu afeto especialmente se tempo de qualidade é sua linguagem de amor. Dou a ele uma porção de tempo de qualidade.

— E você? Sente-se amada por seu irmão?

— Sinto sim. Minha linguagem de amor são palavras de afirmação. Ele está sempre me dizendo como sou inteligente e quanto aprecia meus conselhos.

— Tudo indica que vocês têm um relacionamento bem saudável, mas iria melhorar se ele deixasse de chamá-la de Sardenta, não é?

Brenda riu e respondeu: — Claro que sim.

O grande pedido

— Você estaria então disposta a tentar uma experiência comigo?

— Se ajudar, tento qualquer coisa.

— Uma noite, quando estiver com seu irmão, conte a ele que leu um livro sobre como comunicar amor aos membros da família e que quer fazer-lhe uma pergunta. A pergunta é esta: Numa escala de zero a dez, quanto você acha que o amo como irmã? Se ele der uma nota oito, nove ou dez, que suponho que dará, pergunte quanto ele ama você numa escala de zero a dez. Se lhe der uma nota alta, diga então que acredita na sinceridade dele e que sente seu amor. Gostaria, porém, de fazer um pedido para que se sinta ainda mais amada por ele.

— Pergunte se estaria disposto a ouvir seu pedido. Se disser que sim (como poderia dizer não?), diga simplesmente: "Quero que pare de me apresentar como Sardenta. Pode chamar-me assim, se quiser, quando estivermos sós, mas nunca mais me chame de Sardenta em público. Apresente-me apenas como sua irmã, Brenda."

— Ele talvez fique espantado com seu pedido, porque é quase certo que não tenha idéia de que isso ainda aborreça você, mas precisa saber. E se souber, minha opinião é que ele vai mudar e você vai sentir-se ainda mais amada por seu irmão.

— Devo falar assim diretamente? — perguntou ela. Antes que eu pudesse responder, Brenda acrescentou: — Isso vai ser difícil. Não quero magoá-lo nem que pense que sou tola.

— É importante para você que ele deixe de apresentá-la como Sardenta?

— É sim.

— Dê-lhe então uma chance. Ele não pode ler sua mente. Não é bobagem, e não vai magoá-lo com seu pedido. Vai dar-lhe a informação de que precisa para expressar melhor seu afeto por você.

— Vou tentar — disse ela e despediu-se.

Seis meses mais tarde recebi uma carta de Brenda. Era uma carta simples. No alto ela colocara o esboço de um rosto cheio de sardas. Embaixo havia estas palavras: *Funcionou. Meu irmão foi muito receptivo, não me apresenta como Sardenta há seis meses. Obrigada, Brenda.*

Brenda demonstra um princípio importante. Quando os irmãos se sentem amados, têm mais probabilidade de responder a um pedido sincero. Embora Brenda já estivesse falando a linguagem principal de amor do irmão e ele já se sentisse amado por ela, o pedido simples bastou para que resolvesse uma questão importante para ela, à qual ele não dera atenção durante anos. Se, no entanto, o irmão não sentisse afeto da parte dela, Brenda teria provavelmente recebido uma resposta diferente. Quando os irmãos não se sentem amados, não raro consideram qualquer pedido uma exigência, e sua reação será previsivelmente negativa. A sensação de ser amado faz diferença na maneira como a pessoa reage a um pedido legítimo.

IRMÃO PARA IRMÃO

O caminho foi bem mais difícil para Steve. — Meu irmão e eu brigávamos muito na infância. Eu sou um ano mais velho que ele. Não sei se era uma luta para saber quem era superior ou outra coisa qualquer. Somos adultos agora, mas ainda não temos um relacionamento próximo. Se precisasse de ajuda, eu não iria procurá-lo.

— Você gostaria de ser mais amigo dele? — perguntei.

— Gostaria — respondeu. — Somos irmãos, os irmãos não devem pelo menos ser cordiais um com o outro? Não sei se quero que sejamos "os melhores amigos", mas desejo sinceramente que possamos nos aproximar mais.

— Meus pais estão ficando velhos e vamos ter de cuidar deles daqui a alguns anos. Com nosso relacionamento atual, acho que não vamos concordar em nada. Sinto que ele se ressente de mim e não sei a razão. Nunca tentei dominá-lo.

Concordei com Steve que estava na hora de fazer um esforço para melhorar a relação deles. Conversei com ele sobre a importância do amor emocional e que todos temos um tanque de amor emocional. Quando o tanque de amor está cheio e nos sentimos genuinamente amados pelos membros da família, nossa tendência é ter relacionamentos positivos, crescentes. Mas quando o tanque está vazio e não nos sentimos amados pelos membros da família, barreiras tendem a surgir entre nós. Inclinam-nos a considerar um ao outro numa luz negativa e podemos até nos mostrar mutuamente hostis.

Caminhando em direção a um relacionamento afetuoso

— Não somos abertamente inimigos — disse ele —, mas a nossa não é definitivamente uma relação afetuosa. Tom casou-se há dois meses e não sei se isso vai nos aproximar mais ou não.

— Você tem uma idéia de qual é a principal linguagem de amor de seu irmão? — perguntei. Steve nunca ouvira falar das linguagens de amor e não sabia do que eu estava falando.

Passei então a explicar as linguagens de amor e que cada um tem uma linguagem de amor principal que fala conosco mais profundamente que as outras quatro. Sugeri que o amor é o meio mais poderoso para melhorar um relacionamento.

— Como posso descobrir a principal linguagem de amor dele? — perguntou Steve. — Eu quase não o vejo.

Fiz várias perguntas a Steve sobre o irmão, mas as respostas não ajudaram a descobrir qual seria sua linguagem de amor. Sugeri então que, como Tom se casara recentemente, Steve desse a ele e à esposa um exemplar do livro *As cinco linguagens do amor*, cujo tema é como manter vivo o amor no casamento.

— Há duas vantagens nisto — disse eu. — A primeira é que se ele e a esposa lerem, irão aprofundar seu relacionamento. E a segunda, três meses depois de ter dado o livro, você pode perguntar a sua cunhada se ela descobriu a principal linguagem de amor de seu irmão.

— Sugeri que a cunhada seria a melhor fonte para descobrir a linguagem de amor de Tom. Uma vez obtida essa informação dela, ele estaria pronto para descobrir meios de falar a mesma linguagem com Tom. Afirmei a ele que podia quase garantir que se começasse a usar essa linguagem do irmão, o relacionamento dos dois começaria a mudar.

Dando o primeiro passo

Não vi mais Steve durante seis meses. Quando nos encontramos novamente, a primeira coisa que me disse foi: — Descobri a linguagem principal de meu irmão, mas estou achando difícil encontrar meios de usá-la.

— Qual a linguagem de amor dele? — perguntei.

— Atos de serviço. Sua esposa disse que ambos concordaram que essa era sua principal linguagem de amor. Mas eu vejo Tom tão raramente, como posso fazer atos de serviço para ele?

— Uma viagem de mil quilômetros começa com o primeiro passo.

— Isso parece filosofia.

— Boa filosofia — repliquei. — Você está disposto a tentar?

— Claro, se me disser qual será esse primeiro passo.

Depois de conversar um pouco sobre o estilo de vida e os interesses do irmão, concordamos em que Steve se ofereceria para cuidar do cachorro de Tom em qualquer fim de semana em que ele e a esposa quisessem sair. Esse seria definitivamente um ato de serviço da parte de Steve e algo que o irmão provavelmente apreciaria. Seria também uma oferta lógica para um irmão e sua esposa. Embora Steve e o irmão não tivessem muitos laços de amizade, seria uma coisa lógica para um irmão fazer. Steve disse: — Vou tentar —, e nos despedimos.

Cerca de dois meses se passaram antes que encontrasse novamente Steve. Desta vez ele disse: — Está combinado que vou cuidar do cachorro de Tom daqui a três semanas.

— Ele aceitou então sua oferta?

— Aceitou. Pareceu até que gostou realmente da idéia.

— Ótimo, você está no caminho certo.

— Mas quantas vezes poderei cuidar do cachorro — disse ele — e como isso vai melhorar nosso relacionamento?

Passear com o cão, consertar o terraço etc.

— Lembre-se, a principal linguagem de amor de seu irmão são atos de serviço. Toda vez em que você fizer um ato de serviço, é como derramar amor no tanque de amor dele. À medida que o tanque começa a encher, ele é emocionalmente atraído pela pessoa que o está abastecendo. Se cuidar do cachorro apenas uma vez por ano, será como despejar um galão de amor no tanque dele. É possível que o casal viaje mais de um fim de semana durante o ano, o que pode representar dois ou três galões de amor.

— O que mais posso fazer? — perguntou Steve.

— Diga à mulher dele que se seu irmão precisar de ajuda em qualquer projeto, você gostaria de ajudá-lo se ela lhe telefonar avisando. Depois sente e espere pelo telefonema.

— Você faz as coisas parecerem fáceis.

— Não vai ser fácil quando tiver de ajudar com os projetos — avisei.

Eu soube mais tarde que naquele mesmo mês Steve ajudou o irmão a consertar seu terraço. Antes de o ano terminar, ele podou o jardim do irmão duas vezes quando Tom foi hospitalizado durante duas semanas, cuidou do cachorro três finais de semana e ajudou o irmão a levantar um muro de retenção para o jardim. Removeu também algumas flores especiais de seu próprio jardim e as transplantou para o do irmão.

Steve contou-me: — Passei mais tempo com meu irmão este ano do que nos últimos quinze anos. Sinto como se estivéssemos ficando amigos de novo. Não conversamos muito sobre o passado. A verdade é que parecemos ambos mais adultos e estamos nos relacionando um com o outro como adultos.

Pronto para o nível seguinte

— Você está pronto para o próximo nível? — perguntei.

— Há ainda outro nível? — replicou Steve.

— Convide Tom e a mulher para uma refeição. Você talvez precise da ajuda de sua namorada para isso.

— Ela é boa cozinheira. Vai ser bom. — Os olhos dele se iluminaram como se acabasse de descobrir um brinquedo novo. — Meu irmão nunca me visitou.

— Vou dar-lhe outra idéia. Seu irmão se interessa por esportes?

— Ele é fã da STOCK CAR, mas não freqüenta muito o circuito. Diz que os ingressos são caros demais e assiste então pela TV.

— Compre quatro bilhetes e leve-o a uma corrida.

— Por que quatro?

— Dois para seu irmão e a esposa e dois para você e sua namorada.

— A mulher dele nunca iria a uma corrida da STOCK CAR, e minha namorada também não.

— Compre então dois ingressos. Só você e seu irmão juntos durante um dia inteiro. Pense nisso.

— Esse seria definitivamente um novo nível em nosso relacionamento — disse Steve.

Essas conversas com Steve aconteceram há mais de quatro anos. Ele e o irmão têm agora um relacionamento íntimo e cordial. Steve arranjou uma nova namorada e me disse que está pensando seriamente em casamento.

— Não deixe de aprender a falar a principal linguagem de amor dela antes de se casar — aconselhei.

— Já estou falando — respondeu ele com um sorriso.

Reflexões

1. Faça uma lista dos membros de sua família: mãe, pai, irmãos. Usando uma escala de 0 a 10 (com 0 representando ausência de amor, 5 mais ou menos amado e 10 muito amado), até que ponto você se sente amado por cada membro da família?
2. Por que você classificou cada membro como fez? O que está contribuindo para os sentimentos de amor?
3. Em sua opinião, qual é a principal linguagem de amor de cada membro?
4. Até que ponto você pensa que foi eficaz em falar a principal linguagem de amor deles? Responda a pergunta listando o nome de cada membro da família e escrevendo um número da escala de 0 a 10 (0 significando que você não sabe, 5 expressando a linguagem de vez em quando e 10 falando-a constantemente).
5. Usando a tabela a seguir, prepare uma estratégia para expressar amor mais eficazmente aos membros de sua família nas semanas que virão.

COMO DIZER "AMO VOCÊ" A MINHA FAMÍLIA

Liste abaixo os membros de sua família e a linguagem de amor especial de cada um. A seguir escreva algumas maneiras de mostrar amor a cada um deles. Reflita sobre as sugestões deste capítulo para obter idéias.

- Nome: ______
- Linguagem de amor: ______
- *Minha resposta de amor:* ______

______

______

- Nome: ______
- Linguagem de amor: ______
- *Minha resposta de amor:* ______

______

______

- Nome: ______
- Linguagem de amor: ______
- *Minha resposta de amor:* ______

______

______

- Nome: ______
- Linguagem de amor: ______
- *Minha resposta de amor:* ______

______

______

Já conheci solteiros que desistiram de namorar. Descobriram que é um caminho cheio de mágoas, frustração física, incompreensões e aborrecimentos sem fim. Para outros, a idéia de *não* namorar parece artificial. Que fatores considerar?

Primeiro, quero lembrá-lo de que o namoro não é uma prática universal. Em muitas culturas, letradas ou não, a idéia de um rapaz e uma moça arranjarem uma série de encontros, para qualquer propósito, seria considerada tabu. Essas culturas têm muitos casamentos estáveis. Portanto, o namoro não é uma fase necessária do processo do casamento.

Entretanto, depois de dizer isso, devemos ser realistas e admitir que o namoro é parte integrante da cultura ocidental. De fato, alguns se referiram a ele como o costume tribal favorito dos americanos. O fato de haver armadilhas no sistema não significa que o processo em si seja necessariamente negativo. Pelo contrário, pode ser um dos sistemas sociais mais saudáveis de toda nossa sociedade.

POR QUE NAMORAR?

Qual o objetivo do namoro? A razão de muitos solteiros falharem no jogo do namoro é por não terem compreendido claramente seus objetivos. Se você perguntar a um grupo de solteiros: "Por que vocês estão namorando?", a resposta iria variar entre "Para me divertir" até "Para encontrar um parceiro." De algum modo sabemos que o fim de tudo isto pode levar-nos ao casamento, mas não temos certeza quanto a outros objetivos específicos. Vou listar alguns e sugerir que você faça acréscimos à lista enquanto pensa em seus objetivos pessoais.

Desenvolver interações sadias com o sexo oposto

Um dos propósitos do namoro é *conhecer membros do sexo oposto e aprender a se relacionar com eles como pessoas.* Metade do mundo é feita de indivíduos do sexo oposto. Quando deixo de aprender a arte de construir relacionamentos sadios com "a outra metade", limito imediatamente meus horizontes. Deus nos fez homem e mulher e é desejo dele que nos relacionemos como criaturas feitas a sua imagem. Nossas diferenças são numerosas, mas nossas necessidades básicas são as mesmas. Se devemos servir as pessoas, que é o mais alto chamado da vida, temos então de conhecê-las — homem e mulher. Os relacionamentos não podem ser construídos sem algum tipo de interação social. Na cultura ocidental, o namoro oferece o cenário para essa interação.[1]

Um dos problemas é que fomos treinados para considerar uns aos outros objetos sexuais, em lugar de pessoas. Há quase cinqüenta anos, o psicólogo Erich Fromm escreveu: "O que a maioria das pessoas em nossa cultura considera digno de amor é uma mistura entre ser popular e ter apelo sexual".[2] Com a proliferação da TV a cabo, filmes e agora a Internet, esta percepção de outros como objetos sexuais arraigou-se profundamente em nosso pensamento.

Para algumas mulheres solteiras seu objetivo de vida secreto é "virar a cabeça" dos homens que encontram. E muitos solteiros ficam felizes em ter a cabeça virada. Os que avançam mais e se envolvem na produção ou na compra de revistas voltadas para o culto do corpo em geral acabam viciados nessa percepção impessoal, desconexa, dos membros do sexo oposto. Quando isto se torna uma percepção fixa, o indivíduo deixa então de ser humano no sentido mais verdadeiro. Ele ou ela se assemelha a um animal brincando com seus brinquedos ou permite ser usado(a) como um brinquedo com o qual outro animal brinca.

Aprendendo sobre a pessoa, a personalidade e a filosofia

O namoro oferece uma oportunidade para destruir esta percepção e ajudar o indivíduo a ver outros como pessoas, e não objetos. É no namoro que descobrimos nomes, personalidades, filosofias. Estas são as qualidades do "eu". O nome nos identifica como uma pessoa única. A personalidade revela a natureza dessa nossa peculiaridade, e a filosofia revela os valores pelos quais vivemos. Nenhum deles é descoberto quando ficamos distantes, olhando uns para os outros como objetos, mas quando nos aproximamos e interagimos uns com os outros.

É no namoro que descobrimos que cada mulher tem uma mãe e um pai, assim como cada homem. Conhecidos ou desconhecidos, vivos ou mortos, nossos pais nos influenciaram e afetaram profundamente nossa personalidade. A popularidade do livro de Alex Haley, *Raízes*, e a série de televisão baseada nele tornam evidente que todos estamos ligados ao nosso passado. No relacionamento de namoro temos o potencial para escavar essas raízes. Cada pessoa possui uma história pessoal que também a influenciou grandemente. No contexto do namoro, essas histórias são compartilhadas.

Por que o namoro é importante? Porque nos dá um meio de interagir com outros como pessoas. Nossa sociedade nos empurra cada vez mais a viver num casulo, mas nosso isolamento nos leva a níveis crescentes de solidão, vazio e algumas vezes desespero. Esse isolamento, porém, não precisa ser uma prisão permanente. Namorar é um meio aceitável de sair do isolamento e entrar em contato com outros.

Jenny, uma moça solteira reservada, quase tímida, não namorou na escola secundária e só teve dois namorados na faculdade. Depois de formar-se e conseguir seu primeiro emprego, ela começou a freqüentar um grupo de solteiros numa igreja local. Ali teve oportunidade de sair para comer com um grupo menor e neste contexto conheceu Brent. Eles estavam namorando havia três meses quando Jenny me disse: — Não sei por que esperei tanto para namorar. É tão bom conhecer alguém e deixar que me ame. — Jenny deu um enorme passo no sentido de conhecer as pessoas como pessoas.

Observando as nossas forças e as nossas fraquezas

Um segundo propósito do namoro é *ajudar o desenvolvimento de nossa personalidade.* Todos nós estamos passando por um processo. Alguém sugeriu que deveríamos usar placas no pescoço com os dizeres: "Em construção".

À medida que nos relacionamos com outros no contexto do namoro, começamos a ver a manifestação de vários traços de personalidade. Isto provoca auto-análise sadia e promove maior autoconhecimento. Reconhecemos que alguns traços são mais desejáveis que outros. Passamos a ver nossas próprias forças e fraquezas. A percepção de uma fraqueza é o primeiro passo na direção do crescimento.

O fato é que todos nós temos pontos fortes e fracos em nossa personalidade. Nenhum de nós é perfeito. Maturidade não é perfeição. Entretanto, nunca devemos nos satisfazer com nosso estado atual de desenvolvimento. Se formos excessivamente retraídos não podemos ministrar livremente a outros. Se, porém, falarmos demais podemos afastar aqueles a quem desejamos prestar ajuda. Nosso relacionamento com pessoas do sexo oposto numa situação de namoro nos leva à auto-análise e colaborar com o plano de crescimento de Deus para nossa vida.

Há alguns anos um jovem muito falante me disse: "Nunca percebi como eu era detestável até que comecei a namorar Sally. Ela fala o tempo todo e isso me perturba." A luz se acendera; seus olhos se abriram. Ele viu em Sally sua própria fraqueza e teve a maturidade necessária para avançar na direção do crescimento.

Para ele isto significa falar menos e desenvolver sua habilidade de ouvir, uma receita escrita no primeiro século por um dos apóstolos da Igreja cristã: "Sabeis estas cousas, meus amados irmãos. Todo homem, pois, seja pronto para ouvir, tardio para falar, tardio para se irar".[3] O que não apreciamos representa no geral uma fraqueza em nossa vida. O namoro pode ajudar-nos a ter uma visão mais realista de nós mesmos.

Nem sempre é fácil remover as fraquezas de nossa personalidade. Jenny, que encontramos antes, compreendeu que sua timidez prejudicava sua possibilidade de relacionar-se com outros. Depois de sair da faculdade, ela decidiu fazer aconselhamento pessoal. Foi então que obteve discernimento e estímulo para avançar na direção certa. O primeiro passo foi freqüentar um grupo de solteiros numa igreja local. O segundo, obrigar-se a sair com um grupo menor. O mais difícil para Jenny foi aprender como compartilhar suas idéias nesse grupo pequeno, falar sobre si mesma e deixar que as pessoas soubessem sobre seu curso na faculdade e sua profissão atual.

Só depois de seis meses ela criou coragem para convidar Brent para jantar, sendo este o primeiro passo que iniciou o relacionamento deles.

Uma vez iniciado o namoro, Jenny percebeu que Brent era uma pessoa de confiança. Com o encorajamento do conselheiro, ela começou a compartilhar com Brent detalhes de sua história. Seu interesse em ouvi-la foi um estímulo para que continuasse. Nos primeiros estágios, o conselheiro recomendou que escrevesse as coisas que queria contar a Brent e as perguntas que faria sobre a vida dele. Ao escrever de antemão,

Jenny criou coragem para abrir-se com ele. Mudar exige esforço, mas é um esforço bem aplicado.

Prática em servir outros

Um terceiro propósito do namoro é *oferecer oportunidade para servir outros.* Servir é o chamado mais alto da vida. A história está repleta de exemplos de homens e mulheres que descobriram que a maior contribuição da humanidade está em dar a outros. Quem não conhece Madre Teresa? Seu nome é sinônimo de serviço. Na África temos Albert Schweitzer, e na Índia, Mahatma Gandhi. A maioria das pessoas que estudou de perto a vida de Jesus de Nazaré, o fundador da fé cristã no primeiro século, concorda com o fato de que a vida dele pode ser resumida no ato simples de lavar os pés de seus discípulos. O próprio Jesus disse: "Eu, o Messias, não vim para ser servido, mas para servir, e dar a minha vida por muitos" (BV).[4] Ele ensinou seus seguidores: "Quem quiser tornar-se grande entre vós será esse o que vos sirva".[5] A verdadeira grandeza é expressa em servir.

Não quero sugerir que o namoro deva ser conduzido num espírito de martírio: "Pobre de mim! Tenho de fazer este serviço como um dever" ou "Se eu servir este sujeito, ele talvez venha a gostar de mim." Ministério é diferente de martírio. Ministério é algo que fazemos para outros, enquanto martírio é algo que outros nos obrigam a sofrer.

O namoro é sempre uma rua de mão dupla. Recebemos certamente algo do relacionamento, mas estamos também contribuindo para a vida da pessoa que namoramos. Um bem incomensurável poderia resultar se víssemos o serviço como um dos propósitos do namoro. Muitos indivíduos "reservados" poderiam "sair do casulo" por meio das perguntas inteligentes de um (uma) namorado(a). Muitos arrogantes poderiam ser acalmados pela verdade dita em amor.

Suas atitudes em relação ao namoro podem mudar caso leve a sério a idéia de servir. Você foi ensinado a "projetar sua melhor imagem" para que a pessoa fique bem impressionada. Pode estar então relutante em falar sobre as fraquezas de seu parceiro, temendo que ele ou ela se afaste. O serviço genuíno exige que falemos a verdade em amor. Não servimos um ao outro evitando as fraquezas mútuas.

Servindo por ouvir

É bom saber que nem todo serviço envolve apontar os defeitos de nossos namorados. No geral os ajudamos simplesmente ouvindo enquanto nos contam suas dificuldades. Ouvir com simpatia é um remédio valiosíssimo para o coração ferido. Jim estava namorando Tricia quando o pai dela morreu de ataque cardíaco. Eles estavam namorando havia poucas semanas, mas Jim sentiu que ela queria sua presença. Ele ficou então com a família no velório e acompanhou Tricia ao cemitério. Nas semanas que se seguiram, fez com freqüência perguntas sobre o pai dela e deixou que falasse livremente.

Ao agir assim, ele estava ajudando Tricia a superar a tristeza que tanto a abatia. Se não estivessem namorando, ele não teria tido esta oportunidade de serviço, que foi extremamente útil para Tricia.

Descobrindo a pessoa com quem vamos casar

Outro propósito evidente do namoro é ajudar-nos a descobrir o tipo de pessoa *com quem vamos casar.* Como já mencionamos, em algumas culturas os casamentos são arranjados. Contratos são feitos entre as respectivas famílias. A escolha se faz com base em considerações sociais, financeiras ou religiosas. Espera-se que o casal se apaixone logo depois do casamento. Na cultura ocidental, o processo cabe aos indivíduos envolvidos. Eu prefiro francamente este sistema. A finalidade do namoro é ajudar-nos a ter uma idéia realista do tipo de pessoa de que precisamos como parceiro para a vida.

Namorar pessoas com diferentes personalidades nos dá um critério para fazer julgamentos sábios. A pessoa com uma experiência limitada de namoro pode ser perseguida depois do casamento pela idéia: *Como são os outros homens/mulheres? Eu teria um casamento melhor com outro tipo de parceiro?* Essas perguntas podem ser feitas por todos os casais, especialmente quando há problemas no casamento. "Mas o indivíduo que tenha tido uma vida social plena antes de casar-se está mais bem equipado para responder à pergunta. Ele não terá tanta probabilidade de construir um mundo de fantasia, porque a experiência ensinou-lhe que todos somos imperfeitos."[6]

O que pode ser mais difícil que encontrar alguém com quem possamos viver em harmonia e satisfação durante os próximos cinqüenta anos? As variáveis são muitas. A idéia antiga é que os opostos se atraem. Há verdade nisso, mas os opostos podem também repelir-se. É por isso que os casais podem sentir-se tão atraídos antes do casamento e tão desiludidos depois. A similaridade é especialmente importante quando se trata das grandes questões da vida, como valores, espiritualidade, moralidade, ter ou não filhos e quantos, e alvos profissionais. O namoro oferece o contexto necessário para explorar as respostas a essas perguntas e determinar nossa adequação ao casamento.

E AS LINGUAGENS DO AMOR?

Você deve ter talvez notado que até este ponto não discutimos o amor como um elemento no processo do namoro. A razão para isso é óbvia. O amor verdadeiro faz parte de todas as idéias que discutimos sobre o namoro. Uma atitude de amor deve motivar o indivíduo a relacionar-se com outros como pessoas, e não como objetos, desenvolvendo a própria personalidade para alcançar seu potencial para o bem no mundo e servir seu (sua) namorado(a), buscando encorajá-lo(a) a alcançar seu potencial. Ao buscar um parceiro, o amor é a motivação fundamental, que não só leva ao casamento, como à união bem-sucedida.

Se isto for verdade, então aprender a expressar amor numa linguagem que meu namorado possa sentir é extremamente importante. Quando o parceiro sente-se amado, é muito mais provável que ele se abra para um relacionamento autêntico em que cada um pode ajudar o outro. Portanto, seus relacionamentos de namoro serão melhorados se você aprender a falar a linguagem principal de amor da pessoa que está namorando.

ULTRAPASSANDO AS EMOÇÕES: SHELLEY E NEIL

Shelley e Neil se conheceram quase no fim do primeiro ano da faculdade e estão namorando há cerca de dois anos e meio. Estão agora no último ano e esperando a formatura. O relacionamento deles é também objeto de conversas sérias entre os dois.

"Acho que estamos perdendo alguma coisa", Neil confiou-me. "Nosso relacionamento sempre foi bom, mas parece que o entusiasmo acabou. A certa altura falamos de nos casar depois da formatura, mas agora não temos certeza. Se você tiver tempo, gostaríamos de conversar sobre isso juntos."

Duas semanas mais tarde, Shelley e Neil foram a meu consultório. Depois de passar uma hora ouvindo a história deles, pareceu-me que se tratava de um casal que tinha todos os elementos para um relacionamento duradouro. Mas, para confirmar minha impressão, sugeri que fizessem um inventário de personalidade. Esses inventários exigem a resposta de uma série de perguntas em particular. Os inventários são então pontuados, e um conselheiro interpreta os resultados. Neil e Shelley concordaram, e quando o perfil deles ficou pronto, indicou que eram muito compatíveis em todas as áreas básicas requeridas para um casamento estável.

Com esta informação em mãos, me arrisquei a explicar para eles o que eu pensava que tinha acontecido com o relacionamento de ambos. Fiz uma recapitulação da experiência da "paixão": ela começa com os "arrepios" e depois se desenvolve em uma obsessão emocional em que a pessoa é vista através de óculos de lentes cor-de-rosa e parece perfeita. Levei-os a lembrar de que esta é uma das experiências emocionais mais elevadas entre duas pessoas. Fiz igualmente que se lembrassem de que ela é temporária, desaparecendo num período de dois anos. Quando saímos dessa obsessão emocional, passamos a nos ver de modo mais realista. Vemos nossos pontos fortes e fracos. Compreendemos que nosso parceiro não é perfeito. É neste estágio que o casal começa a sentir que o amor está fugindo deles.

É preciso que sejam agora mais propositais em seu comportamento. O estágio "apaixonado" do casamento exige pouco esforço. De fato, "apaixonar-se" não foi uma escolha consciente. O que quer que façamos nessa fase exige pouca disciplina ou esforço consciente de nossa parte. Os telefonemas compridos e dispendiosos que trocamos, os presentes que damos e os projetos de trabalho que fazemos não representam nada para nós. Assim como o instinto natural do pássaro dita a construção de um ninho, a natureza instintiva da "paixão" nos estimula a avançar em nossa euforia. Quando a euforia se esgota, devemos nos responsabilizar por nosso comportamento. O amor neste ponto se torna uma escolha.

É então que o conhecimento das cinco linguagens do amor passa a ser excessivamente importante. Se compreendermos as cinco linguagens fundamentais do amor e nos conscientizarmos de que cada um de nós fala uma linguagem de amor diferente, tornamo-nos então deliberados ao expressar amor a nosso parceiro. Quando agimos desse modo, eles continuam a sentir nosso amor embora a euforia e as idéias distorcidas do estágio da "paixão" tenham desaparecido.

Contei também a Shelley e Neil que este é o estágio num relacionamento em que podemos observar com maior facilidade as coisas mais importantes nele, como valores, padrões morais, espiritualidade, alvos profissionais e casamento. Eu os lembrei de que tanto minha percepção do relacionamento deles como os resultados dos inventários de personalidade indicavam que possuíam fortes semelhanças em todas as áreas básicas exigidas para um relacionamento conjugal sólido.

— É claro que não cabe a mim decidir se vocês vão ou não continuar seu relacionamento — afirmei. — Só vocês dois podem tomar esta decisão, mas penso realmente que possuem os elementos necessários para um relacionamento por toda a vida. Se puderem descobrir e falar a linguagem principal de amor um do outro, penso que vão redescobrir a centelha em seu namoro. — Pude sentir que ambos estavam abertos para as idéias que eu expunha.

Três meses mais tarde eles vieram a meu consultório, não para aconselhamento, mas para contar que estavam noivos e planejando casar-se depois da formatura. — As linguagens de amor funcionaram para nós — disse Neil. — A chama está de volta, e sabemos que queremos nos casar.

Shelley acrescentou: — Conversamos com meus pais sobre seu livro das linguagens do amor e vimos a centelha voltar ao casamento deles. Agradecemos muito por ter nos ouvido.

— Mandem-me um convite para o casamento — respondi. — Se estiver livre, vou estar lá.

CASAR OU NÃO CASAR?

A experiência da "paixão" não é um bom fundamento para uma união feliz. É bem possível "apaixonar-se" por alguém com quem não devemos casar. De fato, você vai provavelmente sentir "arrepios" com todos os namorados. São os "arrepios" que nos motivam a passar tempo com a outra pessoa. Quando começa a namorar, os "arrepios" às vezes se dissipam rapidamente, e o relacionamento não vai adiante. Entretanto, os "arrepios" podem transformar-se na obsessão emocional que estou chamando de experiência da "paixão". Nenhuma destas coisas requer muito esforço ou pensamentos. Tudo o que você fez foi aparecer, e as emoções tomaram o controle. Todavia, um relacionamento conjugal destinado a durar a vida inteira exige mais que esses sentimentos eufóricos, obsessivos.

Está na hora de uma discussão séria

Não devemos permitir que a euforia impeça que vejamos diferenças berrantes entre nós quanto às questões fundamentais da vida. Esta a razão pela qual enfatizei coisas como valores, padrões morais, espiritualidade, interesses sociais, visões de carreira e o desejo ou falta de desejo de ter filhos.

O namoro oferece o contexto para uma discussão séria sobre essas questões, caso não estejamos cegos pela euforia. Se estivermos muito distantes nesses pontos fundamentais, devemos ter sabedoria suficiente para agradecer pela contribuição à vida de um e de outro e seguir nossos caminhos separados. Casar-se nas alturas da euforia da "paixão" e ignorar essas questões fundamentais é preparar-se para um casamento penoso e difícil.

Sharon foi suficientemente sensata para ver isso. Durante uma conferência, ela e seu noivo, Wayne, foram encarregados de levar-me para jantar certa noite. No curso da conversa, ela contou-me como *As cinco linguagens do amor* tinham sido úteis para sua vida. — Namorei outro rapaz durante um ano antes de conhecer o Wayne — disse ela. — Eu me sentia amada. Acho que talvez estivesse "apaixonada" por ele. Mas, quando Wayne apareceu, senti algo diferente nele. Não era tanto a emoção. Eu admirava sua pessoa, seu caráter e a maneira como investia sua vida trabalhando com crianças problemáticas no clube de meninos local.

— Depois que começamos a namorar, fiquei perturbada com a idéia de não ter por ele os mesmos sentimentos emocionais que tinha por meu ex-namorado. Wayne era muito mais o tipo de pessoa com quem eu queria casar-me, mas não conseguia descobrir a razão de continuar tendo sentimentos tão fortes pelo outro rapaz. Certo dia então, quando estava lendo seu livro sobre as linguagens de amor, que minha mãe me emprestara, tudo fez sentido para mim, embora o livro tivesse sido escrito para casais.

— Quando acabei de ler, percebi que minha linguagem de amor era o toque físico, e a razão de ter ainda sentimentos pelo meu ex-namorado era que ele gostava de tocar-me. Colocava o braço a meu redor no cinema. Pegava na minha mão sempre que saíamos do carro para ir a algum lugar. Abraçava-me e beijava cada vez que nos despedíamos, enquanto Wayne não fazia isso. Pelo menos naquele estágio de nosso relacionamento, ele não estava me tocando muito.

— Penso que ele não queria que a parte física de nosso relacionamento se tornasse o foco principal, por isso se refreava.

Eu não estava então me sentindo emocionalmente próxima dele. Quando falamos a respeito e Wayne explicou por que não estava reagindo tanto fisicamente, apreciei seus esforços nesse sentido até que nos conhecêssemos melhor.

— É claro que ele agora está tocando em mim — riu ela. — Meu tanque de amor está transbordando.

— Eu sempre quis tocá-la — afirmou Wayne. — No passado tive relacionamentos em que o toque físico era quase tudo o que tínhamos em comum. Não queria que isso acontecesse neste relacionamento. Desejava conhecê-la como pessoa e ter a certeza de que estávamos interessados um no outro.

Compromisso com um núcleo de crenças

— Gosto muito disso nele — disse Sharon. — Quanto mais o conhecia, mais tinha certeza de que era o tipo de pessoa com quem eu queria casar. Quando os toques finalmente chegaram, eu soube que era ele quem eu queria que me abraçasse e beijasse pelo resto da vida. Foi por isso que aceitei quando me pediu em casamento.

Os bons casamentos são construídos sobre uma combinação de amor emocional e um compromisso comum com um núcleo de crenças sobre o que é importante na vida e o que queremos fazer com nossas vidas. O fato de falar a principal linguagem de amor um do outro cria o clima emocional no qual essas crenças podem ser aplicadas na vida diária.

Reflexões

Enquanto você reflete sobre seus relacionamentos de namoro presentes e passados, responda às seguintes perguntas:

1. Até que ponto eu o (a) via como uma pessoa, e não um objeto?
2. Até que ponto descobri a personalidade, história, valores, padrões morais, religião dele (dela)?
3. Que descobertas fiz a respeito de mim mesmo(a) nesse namoro?
4. Que mudanças positivas pus em prática?
5. De que maneiras ajudei meu (minha) namorado(a)?
6. De que forma fui positivo em ouvir com simpatia e em confrontar as fraquezas?
7. Por que decidi casar-me ou não me casar com essa pessoa?
8. Se tivéssemos conhecido a principal linguagem de amor um do outro, que diferença isso poderia ter feito em nosso relacionamento?

Eu estava sentado em minha mesa num sábado de manhã, separando papéis, quando recebi um telefonema de Mark. Nós nos conhecemos há mais de quarenta anos. Participei do casamento de seus filhos. Oficiei o funeral de sua esposa há cinco anos. Andei com Mark pela estrada do sofrimento, mas pude sentir pelo tom de sua voz que se tratava de algo diferente. Não demorou muito para descobrir que estava certo. Depois das perguntas comuns para "pôr a conversa em dia", ele disse: — Estou telefonando para contar-lhe que vou me casar.

— Casar? — perguntei entusiasmado. — Quando?

— No dia de Natal — respondeu. — Todos os filhos e netos vão estar aqui e decidimos que seria uma boa ocasião para o enlace.

— Parabéns. Estou feliz por você.

— Eu gostaria que você fizesse parte da cerimônia — disse ele. — Vamos nos casar na igreja dela, e o pastor vai conduzir as coisas. Mas nós dois queremos que você participe.

— Eu ficaria honrado — repliquei.

Mark e eu concluímos nossa conversa

e subi para dar a minha esposa a boa notícia. — Estou surpresa por ele ter esperado tanto — disse ela francamente. Nós sabíamos que Mark estava saindo com Sylvia havia três anos. O marido dela morrera dois meses antes da mulher de Mark. Sylvia era uma mulher com fortes compromissos cristãos e ativamente envolvida na vida comunitária. Ela e Mark tinham muito em comum.

Karolyn e eu concordávamos com o relacionamento deles. Por causa da idade e experiência passada, Mark e Sylvia não sentiram necessidade de aconselhamento pré-conjugal. Eles haviam sido bastante felizes em sua primeira união e supuseram que o mesmo aconteceria no novo casamento.

Dois anos mais tarde Mark telefonou outra vez. Seu tom era bem mais sombrio: — Acho que precisamos de ajuda — disse ele. — Tivemos discussões bem difíceis e parece que não conseguimos nos entender. Eu talvez tenha cometido um erro ao casar-me novamente. A meu ver nenhum de nós está feliz.

Durante os três meses que se seguiram, tive encontros com Mark e Sylvia. Trabalhamos em vários conflitos com relação aos filhos, mobília, dinheiro, aposentadoria, veículos e igreja. Todavia, no cerne de todos os conflitos não-resolvidos, estava um tanque de amor vazio. Nenhum dos dois se sentia amado pelo outro. Eles haviam namorado três anos, portanto, a "paixão" terminara seu curso antes de se casarem. Mas, por terem tanto em comum e gostarem da companhia um do outro, não viram isso como um problema. Sabia por experiência própria que a obsessão da paixão era temporária. Todavia, dois anos após o casamento, as diferenças, que raramente haviam surgido antes do casamento, se tornaram importantes. A falta de amor emocional criou um clima de tensão. Eles não gritavam ou berravam um com o outro. Eram maduros demais para isso. Mas ambos admitiram que viviam com um alto nível de frustração emocional.

UM HOMEM TRABALHADOR QUE NÃO "ENTENDIA"

O que descobri é que a principal linguagem de amor de Sylvia era tempo de qualidade. Antes do casamento, Mark havia falado fluentemente a linguagem de amor dela. Em seus encontros, ele lhe dera toda atenção. Ela sentia-se genuinamente amada por ele, mesmo depois do desaparecimento da paixão. Depois de casados, porém, ela descobriu que viver com Mark era bem diferente do tempo de namoro. Mark era uma pessoa excessivamente ativa, e havia sempre "coisas a serem feitas": gramados para podar, arbustos para aparar, folhas para varrer, carros a serem lavados, paredes a serem pintadas, carpetes a serem substituídos. Um projeto atrás do outro.

— Ele é um homem trabalhador — disse Sylvia. — O problema é que nunca tem tempo para mim. Não se trata de não apreciar o que ele faz. Mas de que vale tudo isso se não temos tempo para nós?

Mark, porém, realmente não entendia. — Eu não a compreendo — afirmou. — A maioria das mulheres ficaria contente por ter um marido como eu. Como ela pode dizer que não a amo?

Antes de responder prematuramente à indagação de Mark, mudei o rumo da conversa, perguntando: — Numa escala de zero a dez, quanto amor você sente que flui de Sylvia para você?

Ele ficou silencioso por um momento e depois respondeu:

— Cerca de zero agora. Ela só me critica. Nunca pensei que chegaríamos a isso. Antes de nos casarmos ela era tão positiva. Quando pintei a sala da casa dela e substituí as janelas em seu quarto, não cansou de elogiar-me. Agora faço o mesmo em nossa casa e parece que não vale nada.

Ficou evidente para mim que a principal linguagem de amor de Mark eram palavras de afirmação. Em vez de explicar, dei a eles uma cópia de *As cinco linguagens do amor* e disse: — A resposta para o casamento de vocês está neste livro. Quero que o leiam cuidadosamente e daqui a duas semanas me digam por que nenhum dos dois se sente amado. — Acho que eles não ficaram muito impressionados com a minha abordagem, mas concordaram em ler o livro.

Duas semanas depois a atmosfera era muito diferente. O casal entrou sorrindo em meu escritório. — Sabemos agora por que você quis que lêssemos este livro antes de nos casarmos — disse Sylvia. — Gostaria de que tivéssemos feito isso.

Resisti à vontade de dizer: — Eu também gostaria. — Disse, em vez disso: — Vocês não podem modificar os dois últimos anos, mas podem tornar o futuro muito diferente.

ENCHENDO O TANQUE DE AMOR DE SYLVIA

— Qual é então a linguagem de amor de Sylvia? — perguntei a Mark.

— Tempo de qualidade, sem dúvida — respondeu.

— E a sua?

— Palavras de afirmação. Durante dois anos fiquei fazendo coisas, enquanto ela necessitava de que eu sentasse no sofá e conversássemos, passeássemos no campo e caminhássemos depois do jantar. Eu estava sempre ocupado demais para essas coisas. Compreendo agora meu erro. Por não falar a linguagem de amor dela, Sylvia fez a única coisa que sabia — resmungou. — Isso, é claro, foi como uma facada em meu coração. As queixas dela me feriram profundamente.

— Compreendo agora o que fiz — falou Sylvia. — Meu tanque de amor estava completamente vazio, mas eu nem sabia que tinha um tanque de amor. Fiz o que era natural para mim; tentei expressar minha necessidade. Vejo agora que pareceu uma condenação. Em vez de elogiá-lo por todas as coisas boas que fazia, eu o critiquei por não estar satisfazendo a minha necessidade. Nós pedimos desculpas um ao outro e sabemos que o futuro vai ser diferente — concluiu ela.

— Prometi a ela que teremos um encontro todas as semanas — afirmou Mark. — E a cada três meses faremos uma viagem de fim de semana juntos.

— É como um recomeço do nosso casamento — disse Sylvia. — Só que desta vez sabemos como amar um ao outro. Mark é um dos homens mais trabalhadores que já encontrei, e de agora em diante vou dar a ele o crédito que merece.

Oito anos se passaram depois dessa conversa com Mark e Sylvia. Ela me disse recentemente: — Não sei como agradecer a você pelo tempo que gastou conosco. Isso salvou literalmente nosso casamento. — E Mark acrescentou: — Quero que saiba que eu não poderia ser mais feliz.

Mark e Sylvia descobriram em meio a uma crise o que poderia ter sido descoberto enquanto namoravam. Infelizmente fizeram o que milhares de pessoas fazem — supor que a relação de amor vai continuar depois do casamento mesmo sem ser trabalhada. Antes de casar-se eles estavam falando a linguagem de amor um do outro, mas não tinham consciência disso. O contexto do namoro tornou fácil para Mark dar a Sylvia tempo de qualidade. Ela era o foco de sua atenção enquanto estavam juntos. Por sentir-se amada, foi fácil para ela dizer palavras de afirmação a ele.

Se o amor romântico levar ao casamento, certifique-se de continuar falando a linguagem de amor de seu parceiro. Lembre-se de que é preciso esforço — mas vale a pena. Tenha em mente que o contexto do casamento é muito diferente daquele do namoro. No esquema mais amplo da vida de casados, Mark ocupou-se com coisas que julgava importantes para ela, esquecendo o mais importante: tempo de qualidade. Quando Sylvia deixou de dizer palavras de afirmação ao marido, seu tanque de amor esvaziou. Sem o amor emocional, as diferenças deles se tornaram campos de batalha, e ambos duvidaram da sabedoria da decisão que haviam tomado. Sem a compreensão da natureza do amor, o casamento deles teria sem dúvida terminado em divórcio.

POR QUE SE CASAR?

Casamento: um alvo da maioria das pessoas

Isto pode levar à pergunta: Por que se casar? Com tantos casamentos terminando em divórcio, por que correr o risco? A resposta simples é que o desejo de amar e ser amado leva os indivíduos a casar. Apesar do aumento dos divórcios, da coabitação e dos filhos fora do casamento, este permanece uma aspiração da maioria das pessoas. Uma pesquisa recente nos Estados Unidos informou que 93 por cento dos americanos consideram "ter um casamento feliz" como um dos objetivos mais importantes, ou muito importantes, da vida.[1]

Junto a este desejo, porém, existem medos reais. Um projeto de pesquisa que explorou a atitude dos universitários de hoje concluiu: "Eles estão desesperados para ter um só casamento e querem que seja feliz. Mas não sabem se isto é ainda possível".[2]

Tenho a máxima confiança em que, se os adultos solteiros puderem entender a natureza do amor e como expressá-lo efetivamente, poderão conseguir o "casamento feliz" que desejam. Portanto, meu pedido a cada solteiro que ler este livro é: (1) aplique esses princípios em cada relacionamento de namoro, (2) aceite o entusiasmo da "paixão" obsessiva pelo que é: excitante mas temporária, e (3) comprometa-se com o amor volitivo expresso na linguagem principal de amor da outra pessoa.

Quando os namorados fizerem essas coisas, poderão avaliar os demais aspectos da vida que vão ajudá-los a tomar uma decisão sensata sobre o casamento.

Sete propósitos comuns

Antes de explorarmos esses "outros aspectos", talvez devamos fazer uma pausa suficiente para perguntar: "Qual o propósito do casamento?" Se inquirir uma dúzia de amigos, é bem provável que receba uma dúzia de respostas diferentes. Estas são algumas das respostas que recebi de solteiros:

1. *Companheirismo*
2. *Sexo*
3. *Amor*
4. *Prover um lar para os filhos*
5. *Aceitação social*
6. *Vantagem econômica*
7. *Segurança*

Esses objetivos não podem ser obtidos fora do casamento? Claro que sim, embora muitas pesquisas tenham indicado que os casados são mais felizes, mais saudáveis e economicamente mais prósperos.[3] Mesmo assim, o propósito do casamento é mais profundo que qualquer desses alvos.

Um propósito mais profundo

No relato bíblico da Criação, Deus diz a respeito de Adão: "Não é bom que o homem esteja só". A resposta à necessidade do homem foi: "Far-lhe-ei uma auxiliadora que lhe seja idônea".[4] A palavra hebraica para *idônea [adequada]* significa literalmente "face a face". A idéia é que Deus criou um ser com quem o homem pudesse ter um relacionamento face a face. Isso fala do tipo de relacionamento pessoal, íntimo, em que duas pessoas se juntam numa união indissolúvel que satisfaz os anseios mais profundos do coração humano.

O casamento é a resposta de Deus à maior necessidade humana — união permanente com outra pessoa. De fato, esse mesmo antigo relato da criação diz sobre Adão e Eva: "tornando-se os dois uma só carne". [5]

A história psicológica do homem está repleta de seu desejo de conexão ou unidade. Acredito que o casamento está destinado a ser o mais íntimo de todos os relacionamentos humanos. Marido e mulher vão compartilhar a vida intelectual, emocional, social, física e espiritualmente a tal ponto que pode ser dito que se tornam "uma só carne". Isto não significa que os casais percam sua individualidade, mas sim que têm grande senso de unidade.

Este tipo de união não se realiza sem o compromisso profundo e duradouro que serve de base ao casamento. O casamento não é um contrato para legalizar a relação sexual. Não é apenas uma instituição social para cuidar dos filhos. Não é só uma clínica psicológica onde obtemos o suporte emocional de que necessitamos. Não é um meio de obter posição social ou segurança econômica. O propósito final do casamento não é nem sequer alcançado quando ele é o veículo para o amor e o companheirismo, por mais valiosos que estes sejam.

O propósito supremo do casamento é a união de um homem e uma mulher no nível mais profundo possível e em todas as áreas da vida. Isso promove o sentimento mais intenso possível de realização ao casal e ao mesmo tempo serve melhor aos propósitos de Deus para suas vidas.

A NATUREZA DA UNIÃO CONJUGAL

Se o alvo do casamento é a união profunda de dois indivíduos em todas as áreas da vida, então que implicações este alvo tem para um indivíduo que está pensando em se casar? É claro que o casamento não dá ao casal esse tipo de unidade. Há uma diferença entre "estar unido" e "unidade". Um pregador rural disse certa vez: "Quando você amarra dois gatos pelo rabo e os pendura na cerca, você os uniu... mas unidade é algo diferente."

Se nossa meta for a unidade, a pergunta-chave a ser feita antes do casamento deve ser: Quais as razões para acreditarmos que podemos nos tornar um só? Ao examinarmos as áreas intelectual, social, emocional, física e espiritual da vida, o que encontramos? Temos o suficiente em comum nessas áreas para produzir a base da unidade? Casa alguma deve ser construída sem um fundamento adequado. Do mesmo modo, nenhum casamento deve ser iniciado até que o casal tenha examinado os alicerces.

O que isto significa em seu aspecto prático? Significa que os casais que estão pensando em casar-se devem reservar tempo para discutir cada área básica da vida, a fim de determinar quem eles são. Já encontrei muitos casais que têm pouca compreensão dos interesses intelectuais um do outro. Muitos casam apenas com uma compreensão superficial da personalidade ou constituição emocional do parceiro. Outros casam pensando que valores religiosos e morais não são importantes e, portanto, quase não os consideram. Se você quiser um casamento íntimo, não é sensato examinar os fundamentos? Se é assim, continue lendo, pois as páginas restantes deste capítulo são para os solteiros que estão namorando e que querem avaliar os alicerces de seus relacionamentos (enquanto tentam falar a linguagem de amor de seus parceiros) ao considerarem o casamento.

Unidade intelectual

Quero fazer algumas sugestões práticas para o exame dos alicerces da unidade intelectual. Separem tempo específico para discutir juntos que tipo de livros vocês lêem. Isto revela em parte o interesse intelectual de cada um. Se um de vocês não costuma ler, isto é também revelador. Você lê jornal regularmente? Quais revistas lê? De que tipo de programas de televisão gosta mais? Que assuntos pesquisa na Internet? A resposta a essas perguntas vai indicar algo de seus interesses intelectuais.

As notas na escola e os cursos que fizeram devem ser também considerados. Isto não significa que vocês precisam ter as mesmas áreas de interesses intelectuais, mas devem poder comunicar-se pelo menos no mesmo nível intelectual. Muitos casais acordaram pouco depois do casamento para descobrir que essa área da vida estava bloqueada por causa da incapacidade de compreender um ao outro. Eles nunca a consideraram antes do casamento.

Não estou falando de perfeição, mas de fundamentos. Do ponto de vista intelectual, vocês possuem o suficiente em comum para manter uma base que permita o crescimento? Isto pode ser mais bem respondido tentando alguns exercícios de crescimento. Concordem em ler o mesmo livro para passar algum tempo de qualidade discutindo seus conceitos. Uma vez por semana leiam um artigo importante no jornal ou na Internet e discutam seus méritos e implicações. Isto vai revelar muito com respeito a sua condição no momento e potencial para crescimento futuro na intimidade intelectual.

Unidade social

Somos criaturas sociais, mas temos interesses sociais diferentes. Você deve examinar os alicerces. Ele é fã de esportes? Quantas horas por semana passa na frente da TV? (Você acha que ele vai mudar depois do casamento?) Quais seus interesses musicais? O que pensa de ópera, balé, música gospel? Lembro-me da jovem esposa que disse: "Ele quer aquela música sertaneja entediante ligada o tempo todo, e eu detesto!". Isso nunca parecera importante antes do casamento. Pergunto: por quê? Será que foi a obsessão da "paixão"?

De que tipo de atividades recreativas você gosta? Você gosta de festas e, se gosta, de que tipo de festas? Essas são perguntas que precisam ser respondidas.

Devemos ter os mesmos interesses sociais? Não, mas é necessário um alicerce para que haja unidade. Vocês têm coisas suficientes em comum que os façam começar a crescer juntos? Esse crescimento social deve ocorrer antes do casamento. Caso contrário, é provável que não surja depois. Faça um esforço. Participe de coisas que não aprendeu a apreciar antes. Veja se pode aprender a gostar de algumas delas. Se perceber que vocês não estão marchando na mesma direção socialmente, lembre-se de que o alvo do casamento é a unidade. Pergunte a si mesmo(a): Se ele (ela) nunca mudar seu interesse social, serei feliz vivendo com ele (ela) pelo resto da minha vida?

E sua personalidade? Você pode descrever num parágrafo o tipo de pessoa que é? Por que então não fazer isso e pedir a seu parceiro que faça o mesmo? Compartilhem os achados e discutam seu autoconceito em comparação com a maneira como outros o vêem.

"Os opostos se atraem" é o que dizem. Verdade, mas os opostos nem sempre se dão bem. Vocês se entendem o suficiente para que possam trabalhar em equipe? Sua personalidade pode realmente completar a dele, mas será que ele quer ser complementado?

Quais os conflitos que tiveram durante o namoro? Quais as áreas potencialmente problemáticas quando pensam numa vida juntos? Discutam isso abertamente. Vão conseguir vencer essas diferenças antes do casamento? Se houver um problema não resolvido antes, ele vai aumentar depois de casados.

Isto não significa que suas personalidades devam ser idênticas — isso poderia tornar o casamento tedioso. Deve haver, porém, uma compreensão básica da personalidade de cada um e uma idéia de como irão relacionar-se.

Unidade emocional

Em vista da euforia da experiência da "paixão", muitos casais acham que possuem intimidade emocional genuína. Um solteiro afirmou: "Esta é a parte mais forte de nosso relacionamento. Nós estamos realmente ligados no sentido emocional." No entanto, quando a euforia desaparece, alguns casais descobrem que o fundamento da intimidade emocional é muito fraco. Experimentam sentimentos de desavença e distância. "Não sei como pude sentir-me tão próxima dele há seis meses quando hoje parece que nem sequer o conheço", uma recém-casada confidenciou.

O que é intimidade emocional? É aquela sensação profunda de ligação que o casal sente. É sentir-se *amado*, *respeitado* e *apreciado*, procurando ao mesmo tempo corresponder. Sentir-se amado é ter a sensação de que a outra pessoa realmente se importa com seu bem-estar. Respeito é o sentimento de que seu cônjuge em potencial considera positivamente sua pessoa, seu intelecto, suas habilidades e sua personalidade. Apreciação é aquele sentimento íntimo de que seu parceiro valoriza sua contribuição para o relacionamento. Vamos examinar esses três ingredientes da unidade emocional.

A evidência do amor genuíno inclui falar constantemente a linguagem de amor um do outro. Depois de ter discutido os conceitos deste livro e descoberto a linguagem de amor de cada um, qual sua fluência nela? Até que ponto você — e seu parceiro — estão tentando praticá-la?

O respeito começa com esta atitude: "Reconheço que você é uma criatura de valor extremo. Deus concedeu-lhe certas habilidades e emoções. Respeito então você como pessoa. Não vou desmerecer seu valor fazendo comentários críticos sobre seu intelecto, julgamento ou lógica. Procurarei entendê-lo e dar-lhe a liberdade de pensar de modo diferente do meu e experimentar emoções que eu não experimento." Respeito significa que você concede à outra pessoa liberdade para ser um indivíduo. Entretanto, a pessoa com quem está pensando em casar respeita você? É possível verificar isso pelo modo como ela trata suas idéias, suas emoções e seus sonhos.

O terceiro elemento da unidade emocional é sentir-se apreciado. Quando expressamos apreciação, reconhecemos o valor da contribuição da outra pessoa para o relacionamento. Cada um de nós gasta energia e habilidades de modo a beneficiar a relação. Sentir que nosso futuro cônjuge reconhece nossos esforços e os aprecia constrói intimidade emocional entre nós dois.

Esta apreciação é no geral verbalizada na forma de elogios. Seu amigo diz: "Obrigado por telefonar quando viu que ia chegar atrasada. Significa muito o fato de você estar pensando em mim" ou "Obrigado por convidar-me para almoçar. Sei como leva tempo preparar uma refeição como esta. Quero que saiba que aprecio seu trabalho, e tudo estava delicioso." Tais declarações comunicam apreciação. Se, porém, seus gestos atenciosos não forem notados, você pode começar a sentir-se depreciado, e surge entre vocês dois uma distância emocional.

A apreciação pode também concentrar-se nas habilidades da pessoa: "Gosto demais de ouvi-lo cantar. Você é tão talentoso." Ou na personalidade: "Fico grato pelo seu espírito positivo em relação às coisas. Sei que ficou desapontada ontem quando tive de cancelar nosso encontro, mas senti-me muito melhor quando disse que compreendia." A apreciação requer concentração. Devo primeiro observar os atos, atitudes e personalidade da outra pessoa. A seguir, devo tomar a iniciativa de expressar minha gratidão.

Se houver amor, respeito e apreciação genuínos, vocês sentirão unidade emocional. Discutam esses três ingredientes antes do casamento. Compartilhem o que faz cada um sentir-se amado, respeitado e apreciado.[6] O grau em que vocês desenvolvem unidade emocional antes de se casarem vai estabelecer o ritmo da sua intimidade depois do enlace.

Unidade espiritual

Os fundamentos espirituais são no geral os menos escavados, até mesmo pelos casais que freqüentam regularmente a igreja. Muitos casais descobrem que sua maior decepção no casamento é haver tão pouca unidade nesta área. "Nunca oramos juntos", disse uma esposa. "O culto é algo que fazemos individualmente. Embora nos sentemos ao lado um do outro, nunca discutimos o que acontece", disse outra. Em vez de unidade, há um crescente isolamento, o exato oposto do que é desejável no casamento.

Grande parte das discussões pré-conjugais sobre religião trata apenas da freqüência à igreja e outros assuntos externos, deixando de atacar as questões mais básicas e importantes. "Seu noivo é cristão?", costumo perguntar. A resposta em geral é: "Ele é membro da St. Mark."

Não estou falando de membresia vs não-membresia da igreja. Refiro-me ao fundamento espiritual do casamento. Vocês concordam em que existe um Deus pessoal, infinito? Conhecem este Deus? Essas perguntas encerram o âmago da questão.

Não basta estar associado com organizações religiosas semelhantes. O assunto é de fé pessoal. Por exemplo, se o homem tem um compromisso profundo com Jesus Cristo como Senhor e sente a direção divina para o trabalho missionário, mas os sonhos da mulher envolvem chalé de verão, carro do ano e empregada de tempo integral, será que eles têm um alicerce adequado para o casamento?

Estas são questões legítimas a considerar: seus corações batem em uníssono espiritualmente? Vocês encorajam o crescimento espiritual um do outro, ou um está puxando de leve, mas constantemente, na direção oposta? Os fundamentos espirituais são importantes. De fato, são os mais importantes porque influenciam todas as outras áreas da vida.

Unidade física

Se vocês se atraem fisicamente, é provável que tenham o fundamento necessário para a unidade física. Mas há um fato interessante sobre a unidade sexual. Ela nunca pode ser separada da unidade emocional, espiritual e social. De fato, os problemas que surgem no aspecto sexual do casamento quase sempre se originam em uma dessas outras áreas. A incompatibilidade física praticamente não existe. O problema pode sempre ser encontrado em outros setores, mas só é expresso na área sexual.

Existem, porém, algumas coisas que devem ser feitas a fim de determinar a natureza do fundamento neste aspecto da vida. Ao ser marcado o casamento, um exame físico completo é essencial para os dois parceiros. Com três milhões de adolescentes por ano contraindo uma moléstia sexualmente transmissível, casar-se sem um exame físico é como brincar de roleta russa. Reflita bem sobre as implicações dessas doenças. Para algumas delas não há cura, só tratamentos que ajudam a suportar os sintomas. Você está disposto a viver com esta realidade num cônjuge?

A revolução sexual de 1960 introduziu uma grande divisão entre a prática da sexualidade e a instituição do casamento. A mensagem de "liberação" era que os dois não precisavam mais um do outro. Supunha-se que a revolução sexual libertaria o sexo e seus participantes. Quarenta anos mais tarde, conforme conclusão de um estudante universitário: "A revolução sexual acabou e todos saíram perdendo".[7] Os reformadores propuseram que a revolução sexual aliviaria a repressão de uma era vitoriana. Em vez disso, ela criou sua própria escravidão.

Em conseqüência, uma vida sexual satisfatória está mais longe que nunca da atual geração. Todas as pesquisas indicam que "os indivíduos monógamos, comprometidos com um só parceiro pela vida toda, são as pessoas mais realizadas física e emocionalmente".[8]

Creio que a maioria dos solteiros que se envolve em relacionamentos sexuais fora do casamento o faz com o desejo sincero de encontrar intimidade. O intercurso sexual, porém, infelizmente não cria intimidade, e o sexo fora do casamento no geral impede o processo de construir intimidade e se torna em si mesmo uma fonte de grande sofrimento físico e emocional. Sei que muitos adultos solteiros que lêem este livro passaram por esse sofrimento. Como ministro da esperança, minha resposta é a mesma que eu daria se o problema estivesse em qualquer outra área de fracasso. A mensagem da igreja cristã continua a ser: Arrependimento e fé em Jesus Cristo ainda são a resposta para os homens e as mulheres que não alcançaram o alvo. Não permita que uma falha do passado o faça desistir da guerra. Perder uma batalha não significa que tudo está perdido. Não podemos retroceder sobre os passos, não podemos eliminar o passado. Podemos, porém, preparar nosso curso para o futuro. Não desculpe o comportamento presente por causa de um fracasso passado. Confesse seu erro e aceite o perdão de Deus.[9]

Lidando com as cicatrizes

Agir desse modo não significa que todos os resultados de seu passado sexual serão erradicados. Deus perdoa, mas os resultados naturais de nosso comportamento não são completamente removidos. O homem que se embriaga e bate o carro num poste, fraturando o braço e acabando com o veículo, pode ser perdoado por Deus antes de ir para o hospital, mas seu braço continua quebrado e o carro perdido. Assim, em nosso comportamento moral, as cicatrizes do fracasso não são totalmente removidas pela confissão. O que devemos então fazer com essas cicatrizes?

O desafio bíblico é honestidade em todas as coisas.[10] Se fomos sexualmente ativos no passado e estamos agora pensando seriamente em casar, devemos ser sinceros com nosso cônjuge em potencial. Conte tudo o que aconteceu no passado. O casamento não tem armários onde guardar esqueletos. Seu passado não pode ser mudado. Confie em que seu parceiro o aceite como é, não como ele ou ela gostaria que fosse. Se não houver tal aceitação, o casamento não deve ser então consumado. Você deve entrar no casamento com todas as cartas na mesa.

Além da aceitação de seu provável cônjuge, você deve aceitar a si mesmo e vencer seu passado. Se, por exemplo, você tiver uma atitude negativa em relação ao sexo por causa de experiências passadas, não deve varrer isso para debaixo do tapete e continuar como se esta atitude não existisse. Enfrente-a e lide com ela.

Isto pode exigir aconselhamento e certamente envolve a cura espiritual. Para o cristão, começa com um estudo em profundidade do que as Escrituras dizem sobre a sexualidade. Ninguém termina esse estudo sem a impressão de que a visão bíblica do intercurso sexual no casamento é positiva. É saudável, é bela e ordenada por Deus. A compreensão dessa verdade vai libertá-lo das atitudes negativas. Agradeça a Deus pela verdade e peça-lhe uma mudança de sentimentos para corresponder à verdade. Você não está destinado a fracassar no casamento por causa de fiascos passados. Terá bloqueios a superar, que não existiriam se tivesse seguido o ideal de Deus. Mas ele veio para curar nossas enfermidades e nos ajudar a cumprir nosso potencial.

Estive discutindo nesta sessão os fundamentos para a unidade conjugal. Se o sexo for seu único objetivo, as questões discutidas acima podem ter relativamente pouca importância. Se você só quer alguém para cozinhar ou pagar o aluguel, tudo o que precisa então é de um parceiro disposto. Se, entretanto, seu alvo for unidade total na vida, deve examinar cuidadosamente os alicerces. Se descobrir que não são fortes o suficiente para suportar o peso de um compromisso para a vida inteira, não deve então casar-se.

Num estudo recente, 87 por cento dos adultos solteiros que nunca haviam se casado disseram que desejavam um casamento que durasse a vida inteira.[11] Eles viram os resultados do divórcio na vida de seus pais, e não é isso o que desejam. Tomar uma decisão sábia quanto à pessoa com quem vai se casar é o primeiro passo para um casamento satisfatório para toda a vida.

Reflexões

Se ou quando você estiver envolvido num namoro que pode levar ao casamento, talvez queira responder às seguintes perguntas:

1. Meu parceiro e eu estamos intelectualmente no mesmo nível?

   (Você talvez queira fazer alguns dos exercícios mencionados neste capítulo: leiam um artigo de jornal ou da Internet e discutam seus méritos e implicações; leiam um livro e compartilhem suas impressões.)

2. Até que ponto examinamos o fundamento da unidade social?

   (Você talvez queira examinar as seguintes áreas: esportes, música, dança, festas e aspirações profissionais.)

3. Temos uma compreensão clara da personalidade, pontos fortes e fracos um do outro?

   (É possível que deseje fazer um perfil de personalidade: isto é geralmente feito sob a direção de um conselheiro que interpretará o perfil e o ajudará a descobrir prováveis áreas de conflito de personalidades.)

4. Até que ponto escavamos nossos alicerces espirituais?

   (Quais suas crenças sobre Deus, as Escrituras, a religião organizada, os valores e a moral?)

5. Estamos sendo sinceros um com o outro sobre nossas histórias sexuais?

   (Você está suficientemente avançado no relacionamento para sentir-se confortável em falar a esse respeito? Até que ponto está discutindo sua opinião sobre a sexualidade?)

6. Descobrimos e estamos falando a principal linguagem de amor um do outro?

   (É no contexto de um tanque de amor repleto que somos mais capazes de examinar sinceramente os fundamentos de nossa relação.)

12 • Colegas de quarto, de classe e colaboradores

Morar no dormitório dos calouros não era uma das coisas que Reed esperava de sua vida na faculdade. Ele sempre tivera o próprio quarto. A idéia de viver com outro indivíduo não lhe era agradável. Reed era uma pessoa ordeira e disciplinada, e seu maior medo era ter um companheiro de quarto como seu irmão menor — totalmente desorganizado e indisciplinado.

Dois meses depois de iniciadas as aulas, seus temores se concretizaram. Brad era um "festeiro", sua mesa parecia um monte de lixo, sua cama nunca era arrumada, e suas roupas sujas ficavam espalhadas pelo quarto.

Reed não gostava de confrontos e então nada disse a Brad, mas fervia por dentro. Eu conhecia Reed havia anos e quando me encontrei com ele num fim de semana, indaguei: — Como vai a faculdade?

O COLEGA DE QUARTO DE REED

— A faculdade vai bem, mas meu colega de quarto está me deixando louco.

— Por quê? — Reed passou a compartilhar seu dilema comigo, concluindo:

— As coisas vão tão mal que estou pensando em voltar a morar em casa e viajar todos os dias para a escola. Mas meus pais não querem isso.

— Gosto de Brad como pessoa, mas não suporto a desordem dele. Você tem alguma sugestão?

Pude ver que Reed estava desesperado e respondi: — Na verdade tenho, só não posso conversar sobre isso agora. — Concordamos então em nos encontrar na parte da tarde.

Quando Reed entrou em meu consultório, era todo ouvidos. Comecei com o óbvio: — Como você sabe, não podemos mudar as pessoas. Mas podemos influenciá-las a mudar. A melhor maneira de ter uma influência positiva sobre alguém é amá-lo. Você se lembra da nossa aula sobre *As cinco linguagens do amor*, não é?

— Lembro sim. Ela me ajudou muito em meus relacionamentos de namoro. Esta não é, porém, uma amizade romântica.

— Eu sei — respondi sorrindo —, mas é um relacionamento humano, e todos os seres humanos precisam sentir-se amados. Se você vai pedir que alguém mude seu comportamento, terá mais probabilidade de ver essa mudança se a pessoa se sentir amada e apreciada por você.

Perguntei a Reed se sabia qual era a principal linguagem de amor de Brad. Ele não tinha certeza, e eu então escrevi as cinco numa folha de papel e dei a ele. Perguntei então se sabia qual daquelas linguagens de amor Brad expressava com mais freqüência a outros.

Reed passou os olhos pela lista e logo descartou atos de serviço e toque físico.

A seguir disse: — Penso que são palavras de afirmação. Ele está sempre me agradecendo por pequenas coisas. É uma pessoa muito positiva.

— Você já ouviu Brad queixar-se de alguma coisa?

Reed pensou um pouco e disse: — A única coisa de que me lembro é que na semana passada ele estava falando sobre o pai e disse: *Gostaria que meu pai fosse mais positivo sobre a vida. Ele está sempre criticando minha mãe, e não gosto disso. Ele não percebe como suas palavras a machucam.*

— E naturalmente ferem também a ele — acrescentei. — Penso que você está certo, a linguagem de amor de Brad são palavras de afirmação. Se quiser que ele se sinta amado e apreciado, deve dizer tais palavras a ele antes de pedir mudanças de comportamento.

— Mas pelo que posso afirmá-lo? É isso o que me irrita. Ele é tão bagunceiro.

— Vamos examinar outras áreas da vida dele — sugeri. — Se tivesse de dizer algo positivo sobre Brad, o que diria?

— Ele é extrovertido, amigável e, como disse, é positivo. Emprestou-me dinheiro outra noite quando ia lavar minha roupa. Não sei. Há algumas coisas positivas nele, mas acho difícil vê-las com suas roupas sujas pelo quarto inteiro.

EU QUERIA...

— Vamos nos concentrar nisso por um momento — disse eu. — Que mudanças específicas você gostaria que Brad fizesse?

— Queria que não colocasse suas meias sujas em minha cadeira.

— Vamos escrever isso — falei, entregando uma caneta a Reed. — Você faz uma lista e eu outra. O que mais gostaria de ver mudado?

— Queria que ele pusesse a roupa suja numa sacola no armário. Que colocasse as latas vazias de Coca-Cola na lata de lixo. Que jogasse os papéis de bala no lixo. Encontrei outro dia uma barra de chocolate na mesa dele, comida pela metade, cheia de formigas.

— Queria que colocasse os livros em sua mesa, e não na minha. A mesa dele está tão abarrotada que não sobrou espaço para os livros.

Pude perceber que tudo isso era extremamente irritante para Reed.

— Mais alguma coisa? — perguntei.

— Isso basta para começar. Mas há outra coisa. Eu queria que ele deixasse os sapatos debaixo da cama ou no armário, e não no meio do quarto.

— Essas expectativas parecem razoáveis para mim. Vou agora ensinar-lhe uma estratégia para ver essas mudanças acontecerem. Durante as próximas três semanas não mencione nenhuma delas.

— Nunca mencionei, exceto a invasão das formigas.

— Está bem. Se quiser que uma pessoa mude seu comportamento, você tem de dizer-lhe o que gostaria de ver mudado. As pessoas não podem ler nossa mente. Elas não sabem automaticamente o que nos irrita. No entanto, este não é o ponto de partida. Nas próximas três semanas, quero que se concentre nas coisas positivas que pode dizer a respeito de Brad.

A ESTRATÉGIA DE REED PARA A MUDANÇA

— Estabeleça para si mesmo o alvo de fazer uma declaração afirmativa a Brad todos os dias durante as próximas três semanas. Se a principal linguagem de amor dele for palavras de afirmação, no fim de três semanas ele vai começar a sentir-se amado e apreciado, e você poderá fazer então um pedido. Escolha um da lista que preparou e diga simplesmente: "Brad, quero pedir uma coisa. Se for possível, coloque os sapatos debaixo da cama ou no armário, estou sempre tropeçando neles quando ficam no meio do quarto."

— Em seguida diga: "Olhe, se houver alguma coisa que eu esteja fazendo e que aborreça você, estou inteiramente disposto a mudar. Quero que tenhamos um bom relacionamento." Se Brad fizer alguma sugestão, então mude dentro das suas possibilidades.

— Depois deste primeiro encontro, continue dizendo palavras de afirmação pelo menos três vezes por semana e a cada segunda semana você faz um novo pedido até que tenha terminado sua lista. A cada semana você também se mostra disposto a fazer uma mudança. Se isto não funcionar, você tem minha permissão para solicitar uma troca de companheiro de quarto no segundo semestre. Se a pessoa tiver de mudar, a probabilidade é maior quando ela se sente amada e aceita por quem pede a mudança.

Reed não se mostrou muito otimista, mas disse: — Isso faz sentido e certamente vou tentar. — Eu sabia que ele era o tipo de pessoa que seguiria conscienciosamente o plano que havíamos feito.

Não vi mais Reed até os feriados de Natal. Repeti minha primeira pergunta: — Como vai a faculdade?

Um sorriso abriu-se em seu rosto: — Você é fenomenal.

— Por que está dizendo isso?

— Quando estava sentado em seu consultório naquela tarde, não acreditei que suas recomendações dariam resultado. Mas Brad e eu estamos começando a ser realmente amigos. Seus sapatos estão debaixo da cama, as roupas sujas geralmente na sacola e as latas de refrigerante na lata de lixo. Na verdade ele encontrou um recipiente de reciclagem no fim do corredor e está reciclando.

— E quais as mudanças que ele pediu a você? — perguntei.

— A maior foi que eu arranjasse uma luminária para minha mesa que não o mantivesse acordado enquanto estudo à noite.

— Algum outro pedido? — sondei.

Reed sorriu. — Bem, ele pediu que eu parasse de abraçar sua namorada toda vez que a via. Eu não tinha qualquer intenção com isso. Gosto de abraçar, mas ele não gostava. Desisti então.

— E o resto da faculdade, vai indo bem?

— Ótimo. Não podia estar melhor.

— Que bom. Quero fazer, porém, uma correção. Eu não sou fenomenal. O amor é.

Ambos sorrimos e nos abraçamos.

Compreenda que a estratégia que sugeri para Reed não era um esforço para manipular Brad. Manipulação é o uso de medo ou ameaças para forçar alguém a fazer alguma coisa contra sua vontade. Amor é um esforço para fazer algo em benefício de outra pessoa, algumas vezes seguido de um pedido que torna a vida melhor para você.

Pedidos e exigências são muito diferentes. O amor cria o clima em que os pedidos têm mais probabilidade de serem aceitos. Responder a um pedido sincero é também uma expressão de amor. É fazer algo em benefício da pessoa que pede. Amor recíproco é o tecido com o qual as amizades duradouras são feitas.

COMO FORTALECEMOS AS AMIZADES

As amizades são cultivadas e fortalecidas quando decidimos falar a principal linguagem de amor um do outro. Tricia e Beth se conheciam desde a oitava série. Seu interesse comum na escola tinha sido a liderança de torcidas. Elas nunca perdiam um jogo. Fizeram uma porção de viagens nos ônibus de atletismo com seus pompons. Durante o último ano da escola secundária, cada uma namorou um jogador de futebol. Tricia era namorada de Randy, o zagueiro, e Beth, de Joe, um lateral. Foi um ano cheio de atividades e animação.

Infelizmente, aquele ano acabou em tragédia. Oito dias antes da formatura, Joe foi morto num acidente de carro causado por embriaguez. Os preparativos da formatura continuaram, mas para Beth o sofrimento tomou conta de tudo.

O sofrimento de Beth

Tricia e Beth passaram muitas horas juntas naquele verão. Tricia acompanhou Beth a uma palestra sobre sofrimento na igreja dela. Tricia descobriu o valor de ouvir Beth reviver suas experiências e conversas com Joe. Beth recordou suas aspirações e eventualmente os comentários que fazia a Joe sobre o vício dele de beber. — Se ele ao menos tivesse me ouvido... — disse ela.

Tricia ouviu com empatia e ocasionalmente fez perguntas, sabendo que o sofrimento é mais bem processado quando exposto. Quando a tristeza de Beth foi acompanhada de soluços, Tricia abraçou-a e elas choraram juntas. O verão foi cheio de choro e conversas.

Embora Beth tivesse planejado cursar a faculdade, ela não se sentia emocionalmente pronta e arranjou então emprego em sua cidade, despedindo-se de Tricia. Esta detestava deixar a amiga, mas sabia que a vida tinha de continuar e, em seu caso, isso significava a faculdade. Talvez por causa da sua preocupação com Beth, ela se inscreveu numa classe opcional sobre relacionamentos humanos na universidade.

A percepção de Tricia

Nessa matéria, ela foi exposta às *Cinco linguagens do amor* e compreendeu quase imediatamente que a linguagem principal de amor de Beth era tempo de qualidade, e a secundária, o toque físico. Sem perceber, ela tinha falado as linguagens de amor de Beth durante todo o verão.

Isto lhe deu um sentimento profundo de satisfação. Deu-lhe também a percepção pela qual orara: "Como posso ajudar Beth melhor nesta crise?" Tricia sabia agora qual a melhor maneira de ajudar Beth. Tomou consigo mesma o compromisso de ir para casa a cada duas semanas e passar tempo de qualidade com Beth. Depois de algumas semanas, ela convidou a amiga para visitá-la no campus em qualquer fim de semana que quisesse, e em janeiro Beth se matriculou na universidade. Estava preparada para continuar sua vida e profundamente grata por uma amiga que a amava.

Os anos de estudo se passaram. Tricia casou-se com Randy. Beth casou-se com um jovem que conhecera na universidade. Elas se mudaram para cidades diferentes e perseguiram seus sonhos. Beth e Tricia telefonavam uma para a outra a cada três ou quatro meses, só para trocar notícias e ter certeza de que tudo estava bem. Os anos correram mais depressa do que qualquer delas imaginava. Uma vez por ano, as duas procuravam passar um fim de semana juntas em sua cidade natal. As coisas pareciam estar bem até um verão, numa dessas visitas de fim de semana, em que Tricia contou a Beth que Randy parecia estar tendo um caso. Os temores se transformaram em realidade, e em seis meses Randy abandonou Tricia. Ela ficou arrasada.

Ao lembrar-se de como Tricia a ajudara no passado, Beth perguntou a si mesma e ao marido, Seth: — O que posso fazer para ajudar Tricia? — Ela sabia que a linguagem de amor de Tricia eram atos de serviço. Tinham falado sobre isso diversas vezes, e Tricia se queixava freqüentemente de que Randy "nunca me ajuda nos serviços de casa". Beth e Seth concordaram que se Tricia estivesse disposta, eles a convidariam para visitar sua cidade.

— Encontre uma casa para ela morar, ajude-a a encontrar trabalho e a lidar com a dor da rejeição — disse ele. Fizeram isso e Tricia aceitou de boa vontade. Eles lhe mostraram amor em meio à tristeza e a ajudaram a recuperar-se. Os amigos estão sempre prontos para ajudar os amigos. E os amigos que compreendem as cinco linguagens do amor sabem como agir mais eficazmente.

SOLTEIROS EM SERVIÇO

Os solteiros têm poucos amigos, mas muitos conhecidos. É fora do grupo de conhecidos, porém, que essas amizades nascem. Aprender a usar sua linguagem principal de amor como meio de encorajar e amar outros permite que você contribua significativamente para a vida das pessoas ao seu redor.

Marcie, uma jovem solteira, reconhece que sua linguagem de amor é atos de serviço. — Sinto a maior alegria ao servir outros — disse ela. — Meu emprego é na indústria de alimentos, e, portanto, apresentei-me como voluntária para trabalhar na cozinha da igreja. Servimos refeições nas quartas-feiras à noite, e em ocasiões especiais fazemos banquetes. Uma das coisas de que mais gosto é preparar o banquete do dia dos namorados para os casais já casados em nossa congregação.

— Algumas pessoas pensam nos solteiros como pessoas que sempre querem alguma coisa — acrescentou Marcie —, mas eu creio que os solteiros devem dar. Esta é a minha maneira de dar a outros.

Uma de minha alegrias pessoais no correr dos anos tem sido encontrar solteiros com a mesma filosofia de Marcie. A irmã de Judith era uma mãe solteira que lutava financeiramente. Ela se esforçava ao máximo para sustentar os filhos, mas ninguém a ajudava nisso. Judith resolveu então oferecer-se para comprar sapatos e vestidos para a irmã.

A princípio a irmã relutou, mas quando Judith disse: — Amo você e quero ajudá-la —, os olhos da irmã encheram-se de lágrimas, e ela respondeu: — Muito, muito obrigada. — Os presentes talvez não sejam a principal linguagem de amor da irmã, mas quando a pessoa está necessitada, presentes comunicam amor. Lembre-se, podemos receber amor nas cinco linguagens.

FALANDO A LINGUAGEM DE AMOR EM SEU LUGAR DE TRABALHO

Falar a principal linguagem de amor de alguém no trabalho pode construir amizades e criar uma atmosfera positiva no ambiente de trabalho por vezes estressante. Os colegas sempre apreciam quando alguém fala sua linguagem específica de amor.

Georgeanna ficara amiga de uma colega de dezenove anos e logo descobriu que a linguagem de amor de Cathy eram presentes. Começou então a dar periodicamente a Cathy alguma pequena lembrança de apreciação. Quando Cathy ficou noiva, Georgeanna achou que ela talvez fosse nova demais para casar-se, mas não a condenou.

Mais tarde o noivo de Cathy rompeu o noivado e ela sofreu terrivelmente.

Um presente para Cathy

Por saber que a principal linguagem de amor de Cathy eram presentes, "fiz para ela uma cesta de pequenas lembranças", lembrou Georgeanna. "Incluí um livro, dizendo-lhe que era 'alguém', alguns doces e um cartão. O olhar dela quando abriu a cesta valeu um milhão de dólares para mim. Poder fazer algo assim faz com que me sinta bem."

O que poderia ser mais importante na vida que dar e receber amor? As amizades são formadas por essas expressões significativas de amor.

Tentando mostrar amor a Bárbara

Falar a linguagem de amor de alguém no trabalho pode até transformar suas atitudes em relação a um colega. Marilyn tinha uma colega de quem se ressentia. Ela achava que Bárbara não fazia sua parte. Queria ter um relacionamento melhor, mas não tinha certeza de que isso fosse possível. Quando ouviu falar das cinco linguagens de amor, a primeira pessoa em quem pensou foi Bárbara.

— Eu não tinha certeza do que ia acontecer — disse Marilyn —, mas sabia que tinha de aproveitar a oportunidade. Minha primeira tarefa foi descobrir a linguagem de amor de Bárbara. Como não conversássemos muito, principalmente por causa de meu ressentimento, eu não sabia realmente como conseguir isso.

— Lembrei-me de algo que tinha aprendido num estudo bíblico algumas semanas antes. Jesus disse: "Amai os vossos inimigos e orai pelos que vos perseguem".[1] Eu não tinha certeza se Bárbara era minha inimiga e não sentia exatamente que ela estivesse me perseguindo, embora sentisse que não me tratava com imparcialidade. Decidi começar orando por ela. Em pouco tempo comecei a orar para que Deus expressasse seu amor a Bárbara por meu intermédio.

— Mas eu continuava sem saber a principal linguagem de amor dela. Achei que se lhe desse um presente, talvez pensasse que eu estava "querendo comprar sua amizade". Eu sabia que falar a linguagem de amor errada causaria mais mal que bem. Pedi então a Deus que me ajudasse a descobrir a linguagem dela.

Uma resolução de Ano Novo

— Fiz essa oração na semana depois do Natal. Certa manhã, quando acordei, e estava me preparando para trabalhar, tive a seguinte idéia: *Por que não tomar uma decisão de Ano Novo de fazer nos três primeiros meses do ano algo para cada membro do pessoal do escritório que tornasse mais fácil sua vida?* Evidentemente, a única maneira de fazê-lo seria contar a eles a minha decisão e perguntar o que eu poderia fazer para facilitar suas vidas. Este poderia ser o meio de ficar sabendo a linguagem de amor de cada um, pensei. "Olhe, funcionou", disse ela.

Marilyn perguntou primeiro a duas outras colegas e depois a Bárbara. Ela explicou sua resolução de Ano Novo: —"fazer uma coisa para cada pessoa do escritório que tornasse sua vida melhor". Estou então perguntando a você sobre isso e talvez amanhã possa dar-me uma resposta.

— Você está maluca? — respondeu Bárbara. — Quer facilitar minha vida? — Bárbara respondeu à pergunta com um ar um tanto hostil e incrédulo.

— Posso ser maluca — respondeu Marilyn —, mas é o que quero fazer.

— Está bem — replicou Bárbara. — Vou pensar.

No dia seguinte quando Marilyn quis saber a resposta, ela encontrou Bárbara com uma disposição diferente. — Estive pensando no que me disse, e a única maneira de aceitar é se for recíproco. Não é justo você fazer algo por mim, a não ser que eu também faça algo por você. Se me disser então o que posso fazer para facilitar sua vida, responderei a sua pergunta.

Marilyn não estava pronta para essa resposta e disse francamente: — Nossa! Não estava preparada para isso. Talvez seja melhor você me dar um dia e volto com a resposta amanhã.

Naquela noite, Marilyn refletiu sobre o acontecido. Até aquele ponto ela só estava tentando expressar amor, e Bárbara já estava correspondendo. Marilyn sabia que sua principal linguagem de amor era atos de serviço. Essa a razão de ficar tão irritada com Bárbara, por não estar "carregando seu fardo". Mas o que poderia pedir a Bárbara que tornasse sua vida mais fácil? Havia tantas coisas que julgava que a colega deveria estar fazendo, mas sabia que seria preciso escolher uma delas e queria ser honesta e pedir algo que fosse realmente útil para sua vida. Não foi senão na manhã seguinte, enquanto Marilyn dirigia para o escritório, que ela resolveu o que pedir a Bárbara.

Durante os três anos anteriores, Marilyn preparava o café todas as manhãs. Ela nem sequer sabia como adquirira a tarefa, mas ninguém se oferecera para ajudar, e acabou encarregando-se dela. Marilyn sabia que seria demais pedir a Bárbara que cuidasse dessa responsabilidade, mas pensou: *Talvez ela fizesse de bom grado uma semana e eu faria na seguinte. Poderíamos fazer um sistema de rodízio, e não seria um fardo para nenhuma de nós.* Parecia algo exeqüível e que seria verdadeiramente significativo para ela.

Na metade da manhã estavam tomando café juntas e Bárbara disse: — Fale você primeiro.

— Espere um pouco — disse Marilyn —, fui eu que comecei. Acho que você deve ser a primeira.

— Sei que você começou — riu Bárbara —, é por isso que acho que deve ser a primeira. Além do mais, vai ser difícil para mim compartilhar o meu pedido, mas se puder ouvir o seu, prometo que conto o meu.

— Está bem — disse Marilyn —, o que estamos compartilhando é algo que a outra pessoa poderia fazer que facilitaria a nossa vida, certo?

— Certo — respondeu Bárbara.

— Como você sabe, tenho feito o café todas as manhãs e nem sei como acabei encarregada desse trabalho. Não me importo, mas pensei que se você pudesse fazer o café uma semana e eu na seguinte, podíamos fazer rodízio. Isso iria certamente facilitar minha vida e talvez não fosse pesado para nenhuma das duas. O que você acha? — perguntou Marilyn.

Bárbara respondeu pensativamente: — Eu *poderia* fazer isso... nunca pensei antes no assunto. Acho que supus que fizesse parte de seu trabalho.

— Tudo começou há três anos — disse Marilyn —, quando John comprou a cafeteira. Antes disso usávamos café solúvel. Eu me ofereci na primeira semana, e depois disso o trabalho ficou meu.

— Teria prazer em ajudar nisso — disse Bárbara. — Você quer que eu comece esta semana?

— Não. Eu termino esta semana. Você pode começar na semana que vem. Agora é sua vez de falar.

O que Bárbara queria

— Meu pedido é bem diferente. Pode parecer estranho... Olhe, estou trabalhando aqui há quatro anos. Penso que meu desempenho é bom, embora saiba que algumas vezes sou lenta para aprender coisas novas. Mas nunca sinto muita apreciação. É como se meu trabalho fosse apenas tomado como garantido.

— O que quero pedir é isto... — Ela fez uma pausa. — É bem difícil. Sinto-me tola falando essas coisas. Acho que estou pedindo é que se você me vir de vez em quando fazendo um bom trabalho, quero que me diga. Palavras positivas sempre foram muito importantes para mim e sinto que tudo o que recebo são críticas, não tanto de você. Mas ficaria muito contente se alguém achar que estou trabalhando bem.

Marilyn estava tendo bastante dificuldade para digerir o que ouvia, mas percebeu que estava aprendendo qual era a principal linguagem de amor de Bárbara.

— Acho que todos gostam de ouvir palavras de apreciação de tempos em tempos — disse ela. — E posso certamente fazer isso.

— Está vendo? Eu disse que meu pedido era diferente — concluiu Bárbara.

— Muito bem — disse Marilyn. — Uma das coisas que estive aprendendo é que aquilo que faz a pessoa sentir-se amada e apreciada nem sempre é o mesmo para outra. Eu, por exemplo, gosto quando fazem coisas para mim. Você, por sua vez, quer que expressem apreciação pelo que fez. Vamos então tentar isto e ver se funciona.

Marilyn voltou ao trabalho, sabendo que aquela fora a conversa mais profunda que tivera com Bárbara e também que a colega abrira uma janela para seu tanque emocional. Naquela noite, Marilyn orou para que Deus a ajudasse a ver as coisas positivas feitas por Bárbara e que a fizesse expressar apreciação verbal sincera. (No capítulo 14 vou contar o resto da história.)

FALANDO A LINGUAGEM DE AMOR PARA AMIGOS ESPECIAIS

Debra tem uma amiga, mãe solteira, cuja linguagem de amor são palavras de afirmação e a secundária, tempo de qualidade. Na semana anterior ao último aniversário dela, Debra enviou um cartão a cada dia. Ela terminou a semana levando a amiga para jantar. Conhecer a linguagem principal de amor da amiga permitiu que Debra mostrasse seu amor com mais profundidade e eficácia.

Paula cuida de Shannon, uma menina com paralisia cerebral. — Eu sabia que podia cuidar fisicamente dela, mas ficava me perguntando: *Como posso comunicar amor emocional a esta criança?* Sei que as crianças precisam sentir-se amadas. Ouvi então falar das cinco linguagens do amor e comecei a observar o comportamento de Shannon. Pus-me a notar como Shannon reagia quando eu falava cada uma das cinco linguagens.

— Pude perceber que ela respondia mais positivamente quando eu a tocava com ternura ou dizia palavras de afirmação. Notei também que as duas linguagens que ela correspondia eram toque físico e palavras de afirmação. A cada dia quando eu chegava, ela me dava um grande abraço e a *performance* se repetia quando me preparava para ir embora. Todos os dias ela me dizia várias vezes: "Amo você."

— Desde que as palavras são minha principal linguagem de amor, eu certamente me senti amada por Shannon e creio que ela sente bem lá no fundo meu amor.

Paula descobriu que até crianças e adultos com problemas físicos ou mentais respondem positivamente a expressões de amor emocional, em especial quando ditas na linguagem principal de amor da pessoa.

A maioria dos solteiros gostaria de intensificar relacionamentos com colegas de quarto, de classe e com outras pessoas importantes em suas vidas. O amor, em qualquer linguagem, acentua os relacionamentos. Mas o amor falado em nossa principal linguagem de amor tem mais condição de aprofundar a nossa comunicação emocional.

Reflexões

1. Você tem um relacionamento significativo com algum colega de escola? Se tem, liste seus nomes e responda às seguintes perguntas: O que posso fazer para descobrir a linguagem principal de amor dessa pessoa? Se você acha que já sabe qual é essa linguagem, pergunte: Como posso falar a linguagem de amor dela esta semana?

2. Se está cursando ou já cursou a faculdade, como descreve as amizades que formou com os colegas? Se já se diplomou, manteve amizade com algum de seus colegas? O que pode fazer para aprofundar essas amizades?
3. Se está empregado, liste os nomes dos indivíduos com quem se encontra com maior regularidade. Você sabe a linguagem principal de amor dessas pessoas? O que pode fazer para descobri-la?
4. Com quem você gostaria de ter um relacionamento melhor de trabalho? Que providências vai tomar sobre isso?
5. Além dos pais e irmãos, que outras pessoas são importantes em sua vida? Qual a expressão de amor mais recente que você fez a esses indivíduos?
6. Você conhece a principal linguagem de amor de cada uma dessas pessoas importantes? Que passos pode dar para descobrir e/ou falar a linguagem de amor delas?

13 • As linguagens do amor e o pai/mãe separado(a)

Amanda é uma mãe sozinha com dois adolescentes, Josh, 15, e Julie, 13. Seu mundo não é fácil. Não tem sido fácil há muito tempo. Seu marido foi embora quando as crianças tinham oito e dez anos. Depois de passar pelo trauma de um divórcio difícil e administrar seu sentimento de rejeição, Amanda passou a tomar conta de sua vida.[1]

Com a ajuda dos pais, ela terminou a escola de enfermagem e desde então passou a trabalhar no hospital da localidade. Se não trabalhasse tempo integral não poderia prosseguir, porque os pagamentos do marido para os filhos eram insuficientes e geralmente esporádicos.

Apesar de tudo o que conseguiu realizar, Amanda vive com um permanente sentimento de culpa. Não teve condições de passar mais tempo com os filhos como gostaria. Por causa do trabalho, foi também obrigada a perder muitas das atividades deles depois da escola. Os filhos chegaram agora à adolescência e ela continua não podendo passar tanto tempo com eles como acha que deveria.

Eles estão crescendo e mudando, e ela se pergunta se estão preparados para o futuro. Certo dia, Amanda disse a si mesma: *Fiz o melhor que pude.* No dia seguinte disse: *Não estou certa de que fiz o suficiente.* Nos últimos tempos, Josh começou a responder e criticar muitas vezes a mãe. Julie quer começar a namorar e Amanda acha que ela ainda é muito jovem.

Em meu consultório, Amanda se abriu: — Não sei se consigo enfrentar isso. Penso que consegui vencer até agora, mas não estou certa de que poderei suportar os anos de adolescência. — Eu estava ouvindo de Amanda o que ouvira de centenas de pai/mãe separado(a) através dos anos: "Por favor, alguém quer me ajudar? Acho que não consigo enfrentar isto sozinho."

Minha esperança é que este livro possa ser útil a milhares de pai/mãe separado(a) como Amanda. Você talvez seja um deles. Descobrir a principal linguagem de amor de seu filho ajudará você a investir o tempo de que dispõe da melhor maneira possível para satisfazer as necessidades emocionais dele. Os pais que tenham ou não a guarda dos filhos serão mais eficazes em amá-los se falarem regularmente a principal linguagem de amor da criança e salpicarem as outras quatro sempre que tiverem oportunidade. As crianças precisam das cinco linguagens de amor, mas sem a principal, seu tanque de amor emocional provavelmente permanecerá vazio.

Kevin acabara de passar o fim de semana com seu filho, Matt. Eles tinham assistido ao jogo de futebol, lavado o carro e jogado duas partidas de minigolfe. Kevin sentia-se feliz com o tempo que passaram juntos. Mas teria ficado ressentido se ouvisse os comentários de Matt ao conselheiro na tarde da terça-feira seguinte. Quando indagado sobre como foi o fim de semana com seu pai, Matt respondeu: — Fizemos uma porção de coisas juntos, mas não acho que meu pai me ama.

— Por que está dizendo isso? — indagou o conselheiro.

— Porque ele nunca pergunta o que estou pensando e sentindo.

Não é incomum que pais e filhos tenham opiniões diferentes sobre o relacionamento durante as visitas. A pesquisa indica que o pai no geral pensa que foi amoroso, mas a criança sente-se rejeitada. Um estudo indicou que embora a maioria dos pais pensasse que havia cumprido suas obrigações satisfatoriamente, três em cada quatro adolescentes tiveram a impressão de que não eram muito importantes para os pais.[2]

Esta mesma diferença de percepção pode ser também verdadeira entre a criança e o pai que tem a guarda. Mitch, 10, disse: "Minha mãe trabalha muito. Acho que ela me ama, mas gostaria que não me criticasse tanto."

AJUDANDO SEU FILHO A SENTIR-SE AMADO...

A pergunta não é: "Você, como pai/mãe separado(a), ama seu filho?", mas "Seus filhos se sentem amados?". A sinceridade dos pais não basta. Precisamos aprender a falar a principal linguagem de amor do filho. Estou convencido de que grande parte do mau comportamento dos filhos tem origem num tanque emocional vazio. Cada criança tem uma linguagem principal de amor — a linguagem que fala mais profundamente à alma dela e satisfaz sua necessidade emocional de sentir-se amada. Se os pais não conseguem descobrir e falar a linguagem de amor do filho, este pode sentir que não é amado, embora o pai esteja usando outras linguagens.

Vou fazer um resumo breve das cinco linguagens do amor e vamos nos concentrar em aplicá-las a seu filho.

... Mediante o toque físico

O toque físico inclui abraços e beijos, mas envolve também uma palmadinha nas costas, a mão sobre o ombro, andar de mãos dadas ao atravessar a rua, lutas no chão ou até tocar a criança quando você sai do aposento.

Perguntei a Jason, 11: — Numa escala de zero a dez, quanto seu pai ama você?

Sem piscar, ele respondeu: — Dez!

Quando perguntei como tinha tanta certeza, ele disse: — Meu pai está sempre dando encontrões em mim ao passar e lutamos no chão.

Lembre-se, o toque físico é um comunicador poderoso do amor emocional.

... Mediante palavras de afirmação

A linguagem de amor chamada palavras de afirmação permite que você afirme o valor da criança pela expressão verbal: Amo você. Você está bonita nesse vestido. Fez um bom trabalho arrumando a cama. Ótima pegada! Obrigado por me ajudar a lavar o carro. Estou orgulhoso de você. Essas são palavras de afirmação.

As simples palavras "Amo você" podem ser como chuva suave caindo na alma da criança. Em contraste, palavras ásperas, cortantes, ditas com raiva podem prejudicar a auto-estima do filho e ser lembradas a vida inteira.

Mitch, em seus dez anos, estava demonstrando que palavras de afirmação era sua principal linguagem de amor quando disse: "Acho que ela me ama, mas gostaria que não me criticasse tanto." Ele demonstrou também outra realidade: quando se usa a principal linguagem de amor da criança de modo negativo, ela fere mais profundamente do que qualquer outra linguagem. Como a principal linguagem de amor de Mitch eram palavras de afirmação, as palavras negativas que recebia da mãe cortavam fundo seu coração.

... *Mediante tempo de qualidade*

Tempo de qualidade é dar ao filho sua atenção total. Com uma criança pequena é sentar no chão, jogando uma bola para lá e para cá, ou sentar no sofá enquanto lê um livro. Com a criança mais velha pode ser dar um passeio no parque, onde vocês dois olham, ouvem e falam. Em vista de as crianças estarem em diferentes níveis de maturação, se quisermos passar tempo de qualidade com eles, devemos ir onde estão. É preciso descobrir seus interesses e entrar no mundo deles.

A proximidade física não se iguala ao tempo de qualidade. Um pai assistindo com o filho a um jogo de futebol só é tempo de qualidade se o filho sentir que ele é o foco da atenção do pai. Se a atenção do pai estiver no jogo, o filho pode sentir-se rejeitado, como Matt demonstrou anteriormente. Ele e o pai faziam atividades juntos, mas Matt ia embora emocionalmente vazio, "porque ele nunca fala comigo sobre o que estou pensando e sentindo".

.... *Mediante presentes*

Um presente diz: "Alguém estava pensando em mim. Veja o que me deram". Os presentes não precisam ser caros. Podem ser tão simples quanto uma pedra que você apanhou na rua ou uma flor que colheu no jardim. Para que os presentes representem uma expressão de amor, faça uma bonita embalagem e os entregue. Até mesmo um uniforme escolar oferecido deste modo pode tornar-se um presente de um pai/mãe separado(a).

Um presente de verdade nunca é dado porque a criança arrumou a cama ou limpou o quarto. Tal presente é pagamento por serviços prestados, e não um presente de verdade. Os presentes são dados porque o pai/mãe separado(a) ama, e não porque a criança merece.

Se você voltar de uma viagem e der a suas duas filhas um ursinho para cada uma, não se surpreenda se uma delas ficar pulando e dizendo: "Obrigada, obrigada", der um nome ao ursinho e colocá-lo num lugar especial em seu quarto enquanto a outra diz: "Obrigada", joga o ursinho no sofá e fica perguntando a você sobre sua viagem. A segunda filha está demonstrando que sua principal linguagem de amor é tempo de qualidade. Ela tem mais interesse em receber sua atenção que seu presente, enquanto a principal linguagem de amor da primeira filha é definitivamente a dos presentes.

... *Mediante atos de serviço*

Fazer pela criança coisas que ela não pode fazer sozinha é uma expressão de amor. Falamos bem cedo esta linguagem trocando fraldas, alimentando e respondendo as necessidades físicas da criança. No correr dos dezoito anos seguintes, a vida é ocupada com o preparo de refeições, lavagem de roupas, curativos, conserto de bicicletas e mil outros atos de serviço. Quando feitos com espírito de bondade, essas são expressões emocionais de amor.

À medida que as crianças crescem, nós as servimos ensinando-lhes as habilidades necessárias para cuidar de si mesmas: o preparo de refeições leva a ensinar-lhes a arte de cozinhar.

Atos de serviço é um meio poderoso de comunicar amor emocional aos filhos. Jennifer, 10, disse: "Sei que minha mãe me ama porque ela me ajuda com as lições de casa, especialmente matemática."

RESPEITE A LINGUAGEM DE AMOR ÚNICA DE CADA CRIANÇA

Você talvez esteja pensando: *Olhe, eu faço algumas dessas coisas. Portanto, meu filho se sente amado, certo?* Não necessariamente. Assim como uma forma de disciplina não funciona com todas as crianças, uma linguagem de amor também não funciona. Cada criança tem uma linguagem especial de amor que a atinge mais profundamente que as outras quatro; essa linguagem pode ser diferente daquela em que um irmão ouve e sente o amor. Se quisermos ser bem-sucedidos em satisfazer a necessidade de amor de nosso filho, devemos descobrir sua linguagem principal de amor e expressá-la com regularidade. Este é o meio mais eficaz de manter cheio o tanque de amor de seu filho.

Não estou sugerindo que você só fale a principal linguagem de amor da criança. Ela precisa das cinco, mas necessita de doses grandes da principal.

Um pai que não tinha a guarda dos filhos disse: "Tenho filhas gêmeas de quatro anos. Minha mulher e eu nos divorciamos há cerca de um ano. Devo confessar que sabia muito pouco sobre como me relacionar com minhas filhas. Agora que elas estão um pouco mais velhas, percebi que tinha de melhorar minha atitude como pai. Fiquei surpreso quando aprendi que, embora minhas filhas fossem gêmeas, elas tinham linguagens de amor diferentes. Uma é toque físico, e a outra, tempo de qualidade. Estou aprendendo agora a falar sua principal linguagem de amor e sinto um elo cada vez mais forte entre nós."

Marge assistiu a um de meus seminários para pais solteiros e soube imediatamente que palavras de afirmação eram a principal linguagem de amor do filho Phillip, de onze anos. Soube também que nas últimas seis semanas dissera a Phillip uma porção de palavras negativas sobre seu trabalho escolar e a maneira como ele tratava a irmã. Decidiu então que nas semanas seguintes faria uma declaração positiva a cada dia para afirmá-lo.

A DISCIPLINA E AS PALAVRAS DE AMOR

"Mal pude acreditar no que aconteceu", explicou Marge. "Em menos de uma semana a fisionomia de Phillip mudou completamente. Começou a fazer as lições logo depois do almoço, sem que eu tivesse de mandar. Notei também uma grande mudança de atitude ao tratar a irmã. É difícil aceitar que o fato de simplesmente falar sua principal linguagem de amor pudesse fazer tamanha diferença."

Mantenha cheio o tanque de amor

Isto não significa que manter cheio o tanque de amor do filho eliminará todo seu mau comportamento. Significa que a criança tem menos probabilidade de agir mal quando o tanque de amor está cheio.

Quando seu filho se comporta mal e é necessário discipliná-lo, os pais se beneficiam ao verificar, antes, se o tanque de amor está cheio. A criança que é disciplinada quando o tanque de amor está vazio quase sempre se rebelará contra a disciplina.

Expresse amor antes e depois da disciplina

Encorajo então o pai/mãe separado(a), antes de administrar disciplina, a falar conscientemente a linguagem de amor do filho. Depois da disciplina, demonstre uma expressão adicional de amor a seu filho ou filha.

Vamos supor, por exemplo, que você deu uma ordem para que a bola de futebol não fosse atirada para dentro de casa e que a conseqüência da desobediência à regra é que a bola irá para o bagageiro do carro durante dois dias. Além disso, se alguma coisa for quebrada, a criança pagará pelo objeto quebrado com a própria mesada. Seu maravilhoso filho quebra então a regra. Você e ele já sabem qual o castigo, mas como administrá-lo é de extrema importância. Vamos supor que a linguagem do amor dele são palavras de afirmação. Você pode aplicar o castigo da seguinte forma:

Entre no quarto, obtenha a atenção da criança e diga-lhe: "Uma das coisas de que mais gosto em você é que quase sempre obedece às regras. Esse é para mim um traço muito positivo e um sinal de verdadeira maturidade. Aprecio muito isso em você. No entanto, como sabe, você jogou a bola dentro de casa e quebrou um vidro. Nós dois sabemos então que a bola tem de ir para o porta-malas do carro e você terá de pagar pelo vidro com sua mesada. Mas o que me faz ter orgulho de você é que isto acontece muito raramente, e isso me deixa feliz."

Você envolveu a disciplina em amor, e seu filho provavelmente vai recebê-la de maneira positiva.

Se, porém, você entrar simplesmente no quarto e disser: "Você sabe que não deve jogar a bola de futebol para dentro de casa. Quebrou um vidro. Já sabe qual vai ser o resultado. Vá pôr a bola no bagageiro do carro e sua mesada desta semana será usada para comprar outro vidro". Ao sair do quarto seu filho provavelmente colocará a bola no carro, mas dirá consigo mesmo: *Tento seguir as regras. Falho uma vez e ela já vem gritar comigo.*

A criança não se rebela contra a disciplina, mas contra a maneira como ela é aplicada. A criança vai sentir-se rejeitada, e não amada.

COMO DESCOBRIR A LINGUAGEM DE AMOR DE SEU FILHO

Como você descobre então a principal linguagem de amor de seu filho? Vamos recapitular os princípios que já aprendemos.

1. *Observe como seu filho expressa amor por você.* Se sua filha está sempre lhe dando abraços, esta pode ser uma indicação de que sua principal linguagem de amor é o toque físico. Se seu filho está sempre fazendo elogios e agradecendo

"Mamãe, que comida gostosa!", sua linguagem de amor pode ser palavras de afirmação.

2. *Preste atenção nos pedidos de seu filho.* O que a criança pede com mais freqüência é uma pista para sua principal linguagem de amor. "Papai, vamos ao parque?" ou "Mamãe, pode ler uma história para mim?". Essas crianças estão pedindo tempo de qualidade, sendo essa provavelmente sua principal linguagem.
3. *Ouça as reclamações.* "Por que você não me trouxe um presente?". Pode ser a maneira de a criança dizer-lhe que sua linguagem de amor são os presentes. "Nunca mais fomos ao parque desde que o papai foi embora" pode ser uma indicação de que a principal linguagem de amor da criança é tempo de qualidade.

No caso de essas abordagens não revelarem a principal linguagem de amor de seu filho, você pode então experimentar o uso de uma das cinco linguagens do amor por semana e observar a reação dele. Quando estiver falando sua principal linguagem de amor, vai notar uma grande diferença na atitude dele em relação a você.

Kathi se descreveu como "uma mãe solteira lutando desesperadamente para criar os filhos num relacionamento de amor". Depois do divórcio, ela teve vários problemas com os filhos. Ao buscar aprender como reagir, ela leu meu livro *As cinco linguagens do amor das crianças* e reconheceu ali as diferentes linguagens de amor de seus filhos.

— Descobri que receber presentes era a principal linguagem de minha filha mais velha. Miranda ficava radiante quando eu lhe dava presentinhos. Não coisas caras, apenas pequenos toques de amor. Ela se gabava para as pessoas e contava a elas o que eu lhe dei. Isso mudou sua atitude comigo.

— Meu filho, Jordan, que tem agora dez anos, tem como linguagem tempo de qualidade. Ele gosta que eu passe tempo em sua companhia. Lemos juntos à noite, e aprendi a gostar de vê-lo jogar videogames. Ele aprecia minha presença enquanto joga. Dar-lhe toda minha atenção é às vezes difícil para mim, mas, quando separo tempo só para o Jordan, ele fica feliz.

Quero encorajar você não só a falar a principal linguagem de amor de seu filho, como também informar os avós, as tias, os tios e outros indivíduos importantes sobre a principal linguagem de amor dele. As crianças precisam receber amor das pessoas que têm maior contato com elas. Sua família mais ampla e/ou amigos podem ajudar a satisfazer a necessidade emocional delas de receber amor.

SATISFAZENDO A PRÓPRIA NECESSIDADE DE AMOR

Embora eu tenha falado principalmente de satisfazer a necessidade de amor da criança, tenho plena percepção de que o pai solteiro também tem necessidades. Em *As cinco linguagens do amor das crianças* menciono a necessidade de os pais solteiros tratarem de sua carência de amor. Vale a pena repetir estas palavras:

> Enquanto a criança está trabalhando contra os sentimentos de culpa, medo, raiva e insegurança, o pai e a mãe também estão trabalhando contra emoções semelhantes. A mãe que

foi abandonada pelo marido talvez encontre um novo companheiro; a mãe que forçou um marido violento a ir embora talvez lute neste momento contra seus próprios sentimentos de rejeição e solidão.

A necessidade emocional de pais separados é tão real quanto a necessidade de qualquer um. Pelo fato de tal necessidade não poder ser satisfeita pelo ex-cônjuge ou pelos filhos, este pai ou esta mãe com freqüência lança mão dos amigos. Este é um meio eficiente de começar a ter o próprio tanque emocional reabastecido.

Uma palavra de cautela para quando você fizer novos amigos. Nesse momento de sua vida, a pessoa separada está extremamente vulnerável aos representantes do sexo oposto, e estes, por sua vez, podem aproveitar-se de seus momentos de fraqueza. Devido ao fato de o pai ou a mãe separada necessitar desesperadamente de amor, há um grave risco de aceitar o amor da primeira pessoa que aparecer, que se aproveitará dele ou dela, sexual, financeira ou emocionalmente.

É de extrema importância que pais recém-separados seja muitos seletivos e sábios ao escolher novas amizades. A fonte de amor mais segura e confiável está nas amizades mais antigas, que conhecem os demais membros da família. As pessoas separadas que tentam satisfazer suas necessidades de amor de forma irresponsável podem colher resultados trágicos.[3]

Se você passou há pouco pela experiência do divórcio ou morte de um cônjuge, dê tempo a si mesmo para o luto e a cura. Converse com a família e os amigos com a maior freqüência possível. Falar sobre sua mágoa, sua ira, sua frustração e seus conflitos é a maneira mais rápida de lidar com o sofrimento. Assista a palestras oferecidas pelas igrejas locais ou agências comunitárias que se concentrem em pais solteiros.

Trabalhar seus conflitos de maneira positiva é um exemplo poderoso para seus filhos. As psicólogas Sherill e Prudence Tippins disseram: "O melhor presente que você pode dar a seu filho é sua própria saúde emocional, física, espiritual e intelectual".[4]

Por mais penoso que seja admitir, a verdade é que você pode ser um pai/mãe separado(a) por muitos anos. Durante este período, longo ou curto, com certeza desejará dar a seus filhos um exemplo de integridade e responsabilidade que possa servir-lhes de modelo em sua caminhada para a idade adulta responsável. Minha esperança é que você venha a compreender as cinco linguagens do amor e que elas o ajudem a alcançar esse objetivo.

Reflexões

1. Se você não conhece a principal linguagem de amor de seu filho, tente responder às seguintes perguntas: Como meu filho expressa amor a outros com mais freqüência? Do que ele/ela se queixa mais? O que meu filho pede sempre? As respostas a essas perguntas podem revelar a linguagem de amor de seu filho.
2. Como você pode melhorar seu método de disciplina usando a principal linguagem de amor de seu filho?

3. Faça uma lista dos sentimentos que seu filho experimentou por causa da ausência de um parente próximo ou distante: medo, ira, ansiedade, negação, culpa etc. Como você pode usar a principal linguagem de amor de seu filho para ajudá-lo a evitar o sofrimento em cada caso?
4. Como pai solteiro, como você pode satisfazer sua necessidade emocional de amor? Que pessoas importantes em sua vida (família ou amigos) você poderia procurar para obter apoio emocional? Você talvez possa começar expressando-lhes apreciação pelo papel que desempenharam em sua vida. Mais tarde faça um pedido específico de ajuda.
5. Você faz parte de uma classe de pais solteiros em sua igreja ou comunidade? Se não, com quem pode entrar em contato para informar-se sobre uma classe desse tipo? Se não conseguir encontrar, talvez você mesmo possa começar uma classe de pais solteiros.[5]

14 • Ame seu caminho para o sucesso

Nunca encontrei um adulto solteiro que desejasse fracassar. Todos querem ser bem-sucedidos. Mas o que *é* exatamente sucesso? Pergunte a uma dúzia de pessoas e com certeza obterá uma dúzia de respostas.

Ouvi certa vez que fizeram esta pergunta ao falecido milionário J. Paul Getty e ele respondeu: "Levante cedo, trabalhe até tarde e descubra petróleo!" Essa fórmula talvez tivesse funcionado para Getty, mas provavelmente não funcionará para você. Um amigo meu compartilhou esta definição: "Sucesso é fazer o máximo de quem você é com o que você tem". Prefiro esta.

Todo indivíduo tem potencial para causar um impacto positivo no mundo. Tudo depende do que você faz com o que tem. O sucesso não deve ser medido pela quantidade de dinheiro que você possui, pela posição que alcança, mas pelo modo como as utiliza. Posição e dinheiro podem ser desperdiçados ou malbaratados, mas também podem ser usados para ajudar outros.

Falamos normalmente de sucesso em áreas específicas da vida, como sucesso financeiro, educacional ou profissional.

Aplicamos também a palavra a esportes, família, religião e relacionamentos. Quando afirmamos que as pessoas são bem-sucedidas em uma dessas áreas, estamos querendo dizer que elas alcançaram alguns dos alvos que estabeleceram para si mesmas.

Qualquer que seja a categoria e nossa visão de sucesso, temos mais probabilidade de ter sucesso quando amamos efetivamente as pessoas.

AMAR AS PESSOAS REPRESENTA SUCESSO NOS NEGÓCIOS...

Vamos pensar por um momento no sucesso em negócios. Tom Peters, autor do livro *Thriving on chaos [Florescendo no caos]* e outros *best-sellers* sobre o cenário dos negócios em mudança, disse: "Só as empresas que se mantêm ligadas aos clientes vão sobreviver e prosperar".[1] Peters está falando de relacionamentos. O verdadeiro sucesso nos negócios está fundamentado nos relacionamentos.

O psicólogo Kevin Leman, autor de *Winning the rat race without becoming a rat [Vencendo a corrida de ratos sem transformar-se em rato]*, oferece três leis para o sucesso nos negócios.

Primeira: As pessoas gostam de comprar tudo, especialmente se gostarem do vendedor.

Segunda: Você constrói relacionamentos com uma conversa de cada vez.

Terceira: Conheça seu freguês e a venda de seu produto se fará por si mesma.[2]

Leman conclui que a Regra de Ouro "Trate outros como quer ser tratado" é o segredo de todos os negócios bem-sucedidos.[3] Todos esses princípios comerciais exigem uma atitude de amor e são grandemente fortalecidos quando se sabe a principal linguagem de amor daqueles com quem você se relaciona nos negócios.

O orador motivacional Zig Ziglar desenvolveu sua profissão baseado em uma simples mensagem: Você pode ter sucesso nos negócios se ajudar muitas pessoas a obterem o que desejam.[4] Um velho ditado diz: "Você não pode ajudar alguém a subir sem chegar também ao topo". É verdade, você pode amar seu caminho para o sucesso nos negócios.

... E SUCESSO NOS RELACIONAMENTOS

O que é verdade como diretriz para o sucesso nos negócios é também verdade no campo dos recursos humanos. Muitas empresas bem-sucedidas compreenderam que seu maior patrimônio são as pessoas que trabalham para elas. Reconhecem também que os colegas de escritório nem sempre criam um ambiente de trabalho positivo e, quando a tensão reina entre eles, a produtividade diminui. Não conheço nada mais eficaz para mudar o clima no trabalho que compreender e praticar os conceitos das cinco linguagens de amor.

DE VOLTA A BÁRBARA E MARILYN

Você está lembrado de Marilyn, que encontramos no capítulo 12? Ela tinha uma colega chamada Bárbara de quem se ressentia porque achava que Bárbara não estava desempenhando sua parte do trabalho. Depois de ficar conhecendo as cinco linguagens do amor, Marilyn decidiu tentar descobrir qual seria a principal linguagem de amor de Bárbara e ver o que aconteceria se expressasse amor e apreciação por ela. Tomou então uma resolução de Ano Novo no sentido de fazer algo por cada uma de suas colegas que facilitasse a vida delas. Pediu depois a Bárbara e às outras que lhe dessem uma sugestão.

Bárbara inverteu as coisas e disse a Marilyn: "Faço isso se você fizer."

Depois de refletir, Marilyn concordou. Ela pediu que a colega ajudasse repartindo a responsabilidade de preparar o café da manhã para o pessoal do escritório. Depois de Bárbara aceitar, ela pediu a Marilyn que reconhecesse um trabalho bem feito. "As palavras positivas sempre significaram muito para mim e sinto que só recebo críticas. Gostaria de sentir que alguém acha que estou fazendo um bom trabalho". Ficou evidente para Marilyn que a principal linguagem de amor de Bárbara eram palavras de afirmação. No capítulo 12 prometi contar-lhe o resto da história. Ei-la aqui.

Marilyn lutou bastante com o pedido de Bárbara. Lembre que ela se ressentia pelo fato de Bárbara não fazer parte do trabalho que lhe competia. Como poderia dizer palavras de afirmação quando sentia tamanho ressentimento? Como Bárbara concordara em ajudar Marilyn fazendo o café a cada duas semanas, Marilyn decidiu começar com isso. Na quarta-feira da primeira semana, Marilyn disse a Bárbara: — Você não imagina como estou grata porque vai fazer o café esta semana. É ótimo ter uma folga dessa responsabilidade. Gosto mesmo da sua ajuda.

"Se há qualquer outra coisa que eu possa fazer..."

— Fico contente em ajudar — respondeu Bárbara. — Obrigada pela oportunidade de ser útil a você. Se houver qualquer outra coisa que eu possa fazer, por favor, não hesite em pedir.

Marylin voltou estupefata a sua mesa. Mal podia acreditar nas palavras de Bárbara. Depois de dois anos de ressentir-se por ela não fazer sua parte do trabalho, Bárbara estava agora se oferecendo para ajudá-la. *Por que não descobri antes este conceito da linguagem de amor?*, perguntou-se ela. *Mas será que ouso pedir que faça outra coisa para mim?* — refletiu. *Com certeza não posso fazer isso sem elogiá-la de novo em outra área qualquer, mas o que eu deveria falar?*

Marilyn pôs de lado esses pensamentos e voltou ao trabalho. No dia seguinte ela notou que Bárbara estava com um penteado diferente. No passado, ela não teria dito nada por causa de seu ressentimento com a colega, mas naquele dia sentiu plena liberdade para dizer: Gosto de seu novo penteado, ficou ótimo.

— Obrigada — disse Bárbara. — Venho desejando mudar meu cabelo há tempos, finalmente criei coragem.

— Ficou bem em você. Gostei muito.

Dois dias mais tarde, Marilyn viu-se dizendo a Bárbara:
— Notei que você continuava trabalhando quando fui embora ontem. Ficou ainda muito tempo?

— Cerca de vinte minutos. Queria terminar o projeto que estava fazendo.

— Gostei de sua atitude. Você fez mais que seu dever. Vou mencionar isso a Marvin para que ele saiba como você é consciencioso.

— Muito obrigada — disse Bárbara. — Gostaria de que fizesse isso.

Marilyn sentou-se em sua mesa e pensou: *Estou realmente começando a engrenar esta situação.*

"Eu gostaria de..."

Na semana seguinte ela disse a Bárbara: — Lembra-se de que você falou que se houvesse outra coisa que pudesse fazer para ajudar-me era só falar?

— Sim, lembro.

— Há sim. Você me ajudaria muito se trouxesse papel para minha impressora quando for à gráfica. Papel branco, simples, é suficiente.

— Farei isso com prazer.

— Podemos até nos revezar nisso, como fazemos com o café, se você quiser. Pelo menos nós duas não faremos a mesma viagem todas as semanas.

— Oh, isso não dá trabalho. Gosto de ir à gráfica. Há um rapaz novo lá que gosto de ver. Até agora ele não me deu muita atenção. Mas estou esperançosa.

As duas riram e Marilyn afastou-se.

Nos meses que se seguiram, Marilyn continuou dizendo palavras de afirmação a Bárbara, que continuou atendendo aos pedidos ocasionais de ajuda por parte de Marilyn. Antes de terminar o ano, começaram a almoçar juntas, coisa que nunca tinham feito antes.

— Acabamos ficando amigas. É difícil de acreditar — disse Marilyn. — Isso demonstrou para mim o poder do amor, especialmente quando falamos a linguagem principal de amor da outra pessoa. Tenho de admitir, isso mudou toda a atmosfera, não só meu relacionamento com Bárbara, mas também com o resto do pessoal do escritório.

Marilyn havia armado o caminho para um relacionamento bem-sucedido com Bárbara.

AMAR É HIPOCRISIA?

Aja como se amasse a pessoa

Alguns podem questionar o conceito de amar alguém que tenha provocado ressentimento em você. Isso não é ser hipócrita? Você tem sentimentos negativos, mas está fazendo ou dizendo algo positivo. Quando ouço essa pergunta, lembro-me de uma declaração do escritor inglês C. S. Lewis, que disse:

> A regra para todos nós é perfeitamente simples. Não perca tempo pensando se você "ama" seu próximo; aja como se amasse. No momento em que fazemos isto, descobrimos um grande segredo. Quando você se comporta como se amasse alguém, passará com o tempo a amá-lo. Se ofender alguém de quem não gosta, virá a desagradar-se cada vez mais dele. Se fizer algo positivo para ele, vai descobrir que o detesta menos.[5]

Ignore seus sentimentos

Amar algumas vezes significa escolher contrariar nossos sentimentos. Compara-se ao que eu faço todas as manhãs ao levantar-me. Não sei sobre você, mas se eu só saísse da cama nas manhãs em que tenho vontade de levantar-me, acabaria com escaras. Quase todas as manhãs, inclusive esta, contrario meus sentimentos, levanto-me, faço algo que acho que é bom e, antes que o dia acabe, sinto-me bem por ter feito o que fiz. O amor não é um sentimento: é um modo de comportar-se. Os sentimentos seguem-se ao comportamento; portanto, sentimentos amorosos seguem o comportamento amoroso. Atos amorosos da minha parte não só me trazem sentimentos positivos sobre mim mesmo, como também, se falados na linguagem de amor da outra pessoa, vão estimular sentimentos positivos nela.

Alguém disse: "Seguir o caminho de menor resistência é o que torna as pessoas e os rios tortuosos. As pessoas dificilmente alcançam sucesso quando estão à deriva". O amor exige esforço, mas os dividendos são enormes.

A CAMINHO DE RELACIONAMENTOS BEM-SUCEDIDOS

Aprender a descobrir e falar a linguagem de amor de outros é dar um passo gigantesco na estrada do sucesso.

Tim, um fanático pelo ar livre, decidiu dedicar mais tempo dentro de casa à mãe idosa depois de aprender a linguagem de amor dela. Ele a convidou para morar em sua casa quando soube que ela estava querendo se mudar e possivelmente alugar um apartamento.

"Minha mãe tem agora 73 anos e muitos problemas de saúde. Quando ouvi falar das cinco linguagens do amor, compreendi que a linguagem de minha mãe é tempo de qualidade. Comecei então a arranjar tempo todos os dias para sentar-me e conversar com ela. Antes disso, supunha simplesmente que ela se sentiria amada porque eu provia suas necessidades. Mas vi uma diferença em sua fisionomia desde que comecei a darlhe tempo de qualidade.

"Quero continuar a compreender e aplicar o conceito das cinco linguagens do amor ao meu relacionamento com minha mãe, com outros membros da família, amigos, e talvez a um relacionamento futuro especial com uma cristã."

Tim aprendeu que o amor leva ao sucesso.

Avaliando nosso progresso

Avaliação tornou-se uma palavra-chave em muitas empresas. De fato, você pode identificar-se com Charlene, que disse: "Estou meio nervosa esta manhã, porque à tarde vou fazer minha avaliação anual com meu chefe. Acho que tudo está bem, mas a gente nunca sabe."

O propósito de uma avaliação não é assustar o empregado, mas concentrar-se no propósito do trabalho e até que ponto esse propósito está sendo cumprido. Em resumo, a avaliação é feita para descobrir se você está sendo bem-sucedido. É uma prática que pode produzir frutos positivos quando aplicada aos relacionamentos.

Ouvi há alguns dias uma história sobre um rapazinho que entrou numa farmácia e pediu para usar o telefone. Ele ligou para um certo número e depois disse: "É o dr. Anderson? O senhor quer empregar um garoto para cortar a grama e fazer trabalhos de rua? Oh, o senhor já tem um empregado? Está completamente satisfeito com ele? Está bem então, até logo."

Quando o menino agradeceu ao farmacêutico, este disse:

— Espere um pouco, filho. Você está procurando trabalho? Eu poderia usar um garoto como você.

— Obrigado, senhor, mas já tenho emprego, — respondeu ele.

— Mas não ouvi você tentando arranjar trabalho com o dr. Anderson?

— Não, senhor — disse o menino. — Eu sou o garoto que trabalha para o dr. Anderson. Só estava querendo verificar se ele estava satisfeito comigo.

Possivelmente todos tiraríamos proveito se verificássemos nosso desempenho. Imagine dizer a um amigo, colega de trabalho ou membro da família: "Se eu pudesse fazer uma mudança que facilitasse sua vida, qual seria?" Se tiver a ousadia de perguntar, tenha então a força necessária para ouvir. O que escutar lhe dará a informação de que precisa para melhorar seu relacionamento com a pessoa em questão.

Você talvez esteja dizendo: "E se me pedirem algo extremamente difícil?" Minha resposta é esta: "Amor é isso: fazer algo em benefício de outro!". Se fizermos apenas o que é fácil, jamais teremos sucesso. Há um meio seguro de saber se você pegou a estrada certa para o sucesso — ela é geralmente uma ladeira.

Amando os que não nos amam

Quase ninguém tem problema em amar alguém que o ama. É por isso que o desafio de Jesus a seus seguidores parece tão inatingível. "Ouvistes o que foi dito: Amarás o teu próximo e odiarás o teu inimigo. Eu, porém, vos digo: amai os vossos inimigos e orai pelos que vos perseguem."[6] É interessante que Jesus tivesse dado Deus como nosso modelo quando disse: "Vosso Pai celeste... faz nascer seu sol sobre maus e bons e vir chuvas sobre justos e injustos".[7]

Você talvez esteja pensando: *Isso é bom para Deus, mas eu não sou Deus. Não posso amar as pessoas que me maltrataram na vida.* Sem a ajuda de Deus, isso é verdade. Mas as Escrituras dizem: "O amor de Deus é derramado em nosso coração pelo Espírito de Deus, que nos foi outorgado".[8] O amor é a mensagem central da Igreja cristã. "Mas Deus prova seu próprio amor para conosco pelo fato de ter Cristo morrido por nós, sendo nós ainda pecadores."[9]

Imagine o que aconteceria se os adultos solteiros que se dizem cristãos o fossem de fato. Todos precisam desesperadamente de amor. Os que dão amor são aqueles que realmente alcançam sucesso.

Madre Teresa de Calcutá captou a verdade. Quando lhe perguntaram: — Como a senhora mede o sucesso de seu trabalho? —, ela pareceu perplexa por um momento e depois respondeu: — Não me lembro de o Senhor ter falado alguma vez de sucesso. Ele só falou de fidelidade em amor. Este é o único sucesso que realmente conta.[10] — Madre Teresa deixou uma marca indelével no mundo por uma razão: ela abriu o coração para ser um canal do amor de Deus para outros.

A maior contribuição que qualquer adulto solteiro pode fazer é tornar-se um canal eficaz do amor de Deus. Minha oração é que este livro o capacite a fazer isso com mais eficácia.

Reflexões

1. Que grau de sucesso você sente em seus relacionamentos profissionais? Se desejasse melhorar os relacionamentos com seus colaboradores, com quem começaria?
2. Que pergunta você poderia fazer para descobrir a principal linguagem de amor dele/dela? (Você talvez queira referir-se à segunda metade do capítulo 8 ao formular tal pergunta.) Se já conhece a principal linguagem de amor de seu colega, o que poderia dizer ou fazer esta semana que comunicasse amor mais efetivamente?
3. Há alguém em sua vida de quem tenha ressentimento? O que aconteceu para estimular este sentimento? Que passos você poderia dar para amar seu caminho para o sucesso neste relacionamento?
4. Qual seu relacionamento mais estressante no momento? Você estaria disposto a traçar uma estratégia para melhorá-lo, aprendendo a falar a principal linguagem de amor dessa pessoa?
5. Até que ponto você está se apoiando no amor de Deus em seus esforços para amar outros? Como você poderia fortalecer sua relação de amor com Deus?[11]

Palavras de afirmação, tempo de qualidade, presentes, atos de serviço, toque físico — qual delas é sua principal linguagem de amor? É possível que você já tenha uma idéia ou uma pista. O "Perfil das cinco linguagens do amor" ajudará você a ter certeza.

O perfil inclui trinta pares de declarações. Leia cada par e escolha aquela que reflete melhor suas preferências. A seguir, na coluna à direita, faça um círculo na letra que corresponde à declaração que você escolheu. Em alguns casos, você gostaria de marcar ambas, mas deve escolher apenas uma para assegurar resultados mais exatos para o perfil.

Ao ler as declarações do perfil, você verá palavras como "pessoa especial" e "entes queridos". Quando pensamos em amor e em linguagens do amor, o pensamento imediato pode centrar-se em um relacionamento romântico. Entretanto, expressamos amor e afeto em vários contextos e relacionamentos. Ao trabalhar no perfil, pense numa pessoa importante de quem é íntimo: namorado ou namorada, um bom amigo, um dos pais, um colega etc.

Prepare o perfil quando estiver relaxado e sem pressão de tempo. Depois de fazer suas escolhas, volte e conte o número de vezes que marcou cada letra. Liste os resultados nos espaços apropriados no final do perfil. Depois leia "Interpretando e usando seus pontos do perfil", que acompanha o perfil.

1.	Gosto de receber palavras de afirmação.	A
	Gosto de ser abraçado.	E
2.	Gosto de passar tempo a sós com alguém especial para mim.	B
	Sinto-me amado quando alguém me oferece ajuda prática.	D
3.	Gosto quando me dão presentes.	C
	Gosto de visitas sem pressa com amigos e entes queridos.	B
4.	Sinto-me amado quando as pessoas fazem coisas para ajudar-me.	D
	Sinto-me amado quando as pessoas me tocam.	E
5.	Sinto-me amado quando alguém que amo ou admiro me rodeia com o braço.	E
	Sinto-me amado quando recebo um presente de alguém que amo e admiro.	C
6.	Gosto de sair com amigos e entes queridos.	B
	Gosto de bater palma com palma ou ficar de mãos dadas com pessoas especiais para mim.	E

7.	Símbolos visíveis de amor (presentes) são muito importantes para mim.	C
	Sinto-me amado quando as pessoas me afirmam.	A
8.	Gosto de sentar perto das pessoas a quem aprecio.	E
	Gosto de que me digam que sou atraente/bonito.	A
9.	Gosto de passar tempo com amigos e entes queridos.	B
	Gosto de receber presentinhos de amigos e entes queridos.	C
10.	Palavras de aceitação são importantes para mim.	A
	Sei que alguém me ama quando ele ou ela me ajuda.	D
11.	Gosto de estar junto e fazer coisas com amigos e entes queridos.	B
	Gosto quando me dizem palavras bondosas.	A
12.	O que a pessoa faz me afeta mais que aquilo que ela diz.	D
	Os abraços me fazem sentir participante e apreciado.	E
13.	Aprecio o louvor e tento evitar as críticas.	A
	Vários presentes pequenos significam mais para mim que um grande.	C
14.	Sinto-me íntimo de alguém quando estamos conversando ou fazendo coisas juntos.	B
	Sinto-me mais perto dos amigos e entes queridos quando eles me tocam com freqüência.	E

15. Gosto de que as pessoas elogiem minhas realizações. A
Sei que as pessoas me amam quando fazem coisas para mim que por si mesmas não apreciariam. D

16. Gosto de ser tocado quando amigos e entes queridos passam perto de mim. E
Gosto quando as pessoas me ouvem e mostram interesse genuíno no que estou dizendo. B

17. Sinto-me amado quando amigos e entes queridos me ajudam nos trabalhos e projetos. D
Gosto realmente de receber presentes de amigos e entes queridos. C

18. Gosto que as pessoas elogiem minha aparência. A
Sinto-me amado quando as pessoas tomam tempo para entender meus sentimentos. B

19. Sinto-me seguro quando uma pessoa especial toca em mim. E
Atos de serviço fazem com que me sinta amado. D

20. Aprecio as muitas coisas que pessoas especiais fazem para mim. D
Gosto de receber presentes que pessoas especiais fazem para mim. C

21. Aprecio realmente o sentimento que tenho quando alguém me dá total atenção. B
Aprecio realmente o sentimento que tenho quando alguém me presta algum ato de serviço. D

22. Sinto-me amado quando uma pessoa comemora meu aniversário com um presente.	C
Sinto-me amado quando uma pessoa comemora meu aniversário com palavras significativas.	A
23. Sei o que a pessoa está pensando de mim quando me dá um presente.	C
Sinto-me amado quando a pessoa me ajuda nas tarefas diárias.	D
24. Aprecio quando alguém ouve com paciência e não me interrompe.	B
Aprecio quando alguém se lembra de dias especiais com um presente.	C
25. Gosto de saber que os entes queridos estão preocupados em ajudar-me nas tarefas diárias.	D
Gosto de fazer viagens longas com alguém que é especial para mim.	B
26. Gosto de beijar ou ser beijado por pessoas de minha intimidade.	E
Receber um presente sem qualquer razão especial me deixa contente.	C
27. Gosto que me digam que sou querido.	A
Gosto que a pessoa olhe para mim enquanto falamos.	B
28. Presentes de um amigo ou ente querido são sempre especiais para mim.	C
Sinto-me bem quando um amigo ou ente querido me toca.	E

29. Sinto-me amado quando alguém faz com entusiasmo o que pedi.	D
Sinto-me amado quando dizem quanto me apreciam.	A
30. Preciso ser tocado todos os dias.	E
Preciso de palavras de afirmação todos os dias.	A

TOTAIS:		
A:	6	A: Palavras de afirmação
B:	6	B: Tempo de qualidade
C:	7	C: Receber presentes
D:	2	D: Atos de serviço
E:	9	E: Toque físico

INTERPRETANDO E USANDO SEUS PONTOS DO PERFIL

Que linguagem de amor recebeu mais pontos? Esta é sua principal linguagem de amor. Se os totais de pontos para duas linguagens de amor forem os mesmos, você é "bilíngüe" e tem duas linguagens principais de amor. Se tiver uma linguagem secundária de amor, ou uma cujos pontos estejam próximos da principal, isto significa que ambas as expressões de amor são importantes para você. O ponto mais alto para qualquer linguagem de amor é doze.

Embora você possa ter marcado uma linguagem de amor mais que as outras, tente não desconsiderar essas outras. Seus amigos e entes queridos podem expressar amor desse modo e valerá a pena compreender isto a respeito deles. Assim também, será bom que seus amigos e entes queridos saibam qual é sua linguagem de amor e expressem afeto por você de maneiras que você interprete como amor. Cada vez que você ou eles falam a linguagem um do outro, vocês marcam pontos emocionais um com o outro. É claro que ninguém vai manter uma lista de pontos. O resultado de falar a linguagem de amor de uma pessoa é mais um sentimento de que "esta pessoa me entende e se importa comigo". Com o passar do tempo, este sentimento se multiplica em uma sensação mais forte de conexão.

Assim como identificar e falar a linguagem de amor de um amigo ou ente querido fortalece o relacionamento, não fazer isso pode deixar um amigo ou ente querido com o sentimento de que você não o ama. Quando as pessoas não expressam amor de modo a ser percebido como tal, seus esforços, embora sinceros, são de alguma forma desperdiçados. Isto pode frustrar tanto aquele que dá amor como o suposto receptor. Você pode ter sido inconscientemente culpado de falar uma linguagem de amor "estranha" no passado a alguém que amava. Compreender o conceito das linguagens de amor pode ajudar você a saber como expressar eficazmente seus sentimentos para que sejam recebidos e interpretados como deseja.

Se ainda não tiverem feito isso, encoraje as pessoas especiais em sua vida a fazerem o "Perfil das cnco linguagens do amor". A seguir, discuta suas respectivas linguagens de amor e use este critério para melhorar seus relacionamentos.

DR. GARY CHAPMAN é autor de vários livros sobre relacionamento conjugal, dentre eles *As cinco linguagens do amor*, *As cinco linguagens do amor das crianças*, *As cinco linguagens do amor dos adolescentes* e *As linguagens do amor de Deus*.

• Notas

Capítulo 1

[1]U.S. Census Bureau, "Marital status of people 15 years and over, by age, sex, personal earnings, race and hispanic origin", Table A1, March 2001. A tabela lista todos os povos (não apenas os hispânicos) e nota que a população total de americanos com idade acima de dezoito anos de 207 milhões em março de 2001.

[2]George BARNA, *Single focus,* Ventura: Regal, 2003, 8.

[3]Ibid, 12.

[4]National Center for Health Statistics, Vital Statistics of the United States, 2001 (Washington, D.C.), 42.

[5]Centers for Disease Control and Prevention, First Marriage Dissolution, Divorce and Remarriage in the United States (Washington, D.C.), May 2001 Report.

[5]Barna, Single Focus, 11. The National Center for Health Statistics informa que 75 por cento desses indivíduos divorciados voltarão eventualmente a casar-se de novo.

[7]U.S. Bureau of the Census, Statistical Abstract of the United States, 2000 (Wahington, D.C.), Table 55.

[8]Ibid., Table 64.

[9]Barna, Single Focus, 16.

[10]Leo Buscaglia, *Love*, Nova York: Fawcett Crest, 1972, 55-56.

Capítulo 2

[1]Dorothy TENNOV, *Love and limerence*, Nova York: Stein and Day, 1979, 142.

Capítulo 3

[1]Provérbios 18:21.
[2]Lucas 6:38.
[3]1João 4:19.
[4]Provérbios 15:1.

Capítulo 4

[1]Gary Chapman, *As cinco linguagens do amor*, São Paulo: Mundo Cristão, 1997.

Capítulo 5

[1]Philip YANCEY, *Leadership*, outono de 1995, 41.
[2]V. João 13:3-17.
[3]Gálatas 5:13.
[4]Atos 20:35.
[5]Conforme citado em Leo BUSCAGLIA, *Love*, Nova York: Fawcett Crest, 1972, p. 58.

Capítulo 6

[1]Conforme citado em Leo BUSCAGLIA, *Love*, Nova York: Fawcett Crest, 1972, p. 17.
[2]Buscaglia, *Love*, p. 77.
[3]*Los Angeles Herald Examiner*, 22 de novembro de 1970, A-7, col. 3.

Capítulo 7

[1]Leo BUSCAGLIA, *Love*, Nova York: Fawcett Crest, 1972, p. 104.
[2]Kersti YLLO e Murray A. STRAUS, "Interpersonal violence among married and cohabiting couples", *Family Relations 30*, 1981: 343.
[3]Erich FROMM, *The art of loving*, Nova York: Harper & Row, 1956, p. 77-8.
[4]Pitirim A. SOROKIN, *The american sex revolution*, Boston: Porter Sargent, 1956, p. 3.

[5]Glenn T. STANTON, *Why marriage matters,* Colorado Springs: Pinon, 1997, p. 53.

[6]William G. AXINN e Arland THORNTON, "The relationship between cohabitation and divorce: selectivity or causal influence?" *Demography 29*, 1992: 357-74.

[7]Jan E. STETS, "The link between past and present intimate relationships", *Journal of Family Issues 14,* 1993: 236-60.

[8]Edward LAUMANN, John GAGNON, Robert MICHAEL e Stuart MICHAELS, *Social organization of sexuality: sexual practices in the United States,* Chicago: Univ. of Chicago Press, 1994, Table 11:12.

[9]Linda G. WAITE e Maggie GALLAGHER, *The case of marriage*, Nova York: Doubleday, 1000, p. 91.

[10]Gary CHAPMAN, *As cinco linguagens do amor dos adolescentes*, São Paulo: Mundo Cristão, 2001, p. 72.

Capítulo 9

[1]Êxodo 20:12.

[2]Efésios 6:2-3.

Capítulo 10

[1]As duas primeiras páginas deste capítulo apareceram no livro de Gary Chapman *Toward a growing marriage* [Rumo a um casamento feliz], São Paulo: Mundo Cristão, no prelo.

[2]Erich FROMM, *A arte de amar*, São Paulo: Martins Fontes, 2000.

[3]Tiago 1:19.

[4]Mateus 20:28.

[5]Mateus 20:26.

[6]Chapman, [Rumo a um casamento feliz].

Capítulo 11

[1]Linda J. WAITE e Maggie GALLAGHER, *The case for marriage: Why married people are happier, healthier and better off financially,* Nova York: Doubleday, 2000, p. 2.

[2]Arhtur LEVINE e Jeanette S. CURETON, *When hope and fear collide*, São Francisco: Jossey-Bass, 1998, p. 95.

[3]Waite e Gallagher, *The case for marriage*, p. 2.

[4]Gênesis 2:18.

[5]Gênesis 2:24.

[6]Um exercício que você e seu namorado podem fazer juntos para medir sua intimidade emocional é indicar o grau em que vocês sentem que cada um desses elementos — amor, respeito e apreciação — existem em seu relacionamento. Avaliem cada elemento numa escala de um a dez. Digam um ao outro por que seu número foi alto ou baixo. Dêem exemplos.

[7]Neil HOWE e William STRAUSS, *Thirteenth* GEN, Nova York: Vintage Books, 1993, p. 148.

[8]Glenn T. STANTON, *Why marriage matters*, Colorado Springs: Pinon, 1997, p. 34.

[9]Veja 1João 1:9.

[10]Efésios 4:15,25.

[11]Kim MCALISTER, "The X Generation", *HR Magazine*, 21 de maio de 1994.

Capítulo 12

[1]Mateus 5:44.

Capítulo 13

[1]A história de Amanda apareceu pela primeira vez no livro de Gary Chapman *As cinco linguagens do amor dos adolescentes*, São Paulo: Mundo Cristão, 2001.

[2]Shmuel SHULMAN e Inge SEIFFGE-KRENKE, *Fathers and adolescents*, Nova York: Routledge, 1997, p. 97.

[3]Gary CHAPMAN e Ross CAMPBELL, *As cinco linguagens do amor das crianças*, São Paulo: Mundo Cristão, 1999, p. 191,192

[4]Sherill e Prudence TIPPINS, *Two of us make a world*, Nova York: Holt, 1995, p. 56.

[5]Você talvez queira fazer uso do seguinte: Gary Chapman e Ross Campbell, "The Five Love Languages of Children Video Pack" (Nashville: Lifeway Christian Resources, 1998).

Capítulo 14

[1]Tom PETERS, *Thriving on chaos: Handbook for a management revolution,* Nova York: Random House audio books, 1987.

[2]Kevin LEMAN, *Winning the rat race without becoming a rat,* Nashville: Nelson, 1996, 60, 99, 100.

[3]Ibid., 100.

Zig ZIGLAR, *Over the top,* Nashville: Nelson, 1994, p. 18.

[5]C. S. LEWIS, *Mere christianity*, Nova York: Macmillan, 1952, p. 116.

[6]Mateus 5:43-44.

[7]Mateus 5:45.

[8]Romanos 5:5.

[9]Romanos 5:8.

[10]James S. HEWETT, ed., *Illustrations unlimited,* Wheaton: Tyndale, 1988, p. 470.

[11]Para obter ajuda prática, você talvez queira ler o livro de Gary Chapman *The love languages of God,* Chicago: Northfield, 2002.

Para um guia de estudo gratuito on-line visite:

http://www.fivelovelanguages.com

O guia de estudo foi designado para extrair os conceitos do livro *As cinco linguagens do amor para solteiros* e ensinar você a aplicá-los de maneira prática em sua vida. É ideal para estudos em grupo e grupos de debate. O material está disponível somente em inglês.

Caro leitor

Desejamos que este livro tenha correspondido
a suas expectativas.
Para continuar a atendê-lo sempre melhor,
compartilhe suas impressões de leitura desta
obra escrevendo para:

EDITORA MUNDO CRISTÃO

Rua Antonio Carlos Tacconi, 79
04810-020 — São Paulo — SP

ou para o e-mail

opinião-do-leitor@mundocristao.com.br

Este livro foi composto por Sonia Peticov,
em AGaramond, e impresso pela Imprensa da Fé
em papel offset 63 g/m², com filmes
fornecidos pela MS Serviços de Composição.